足立正恒　著

思想と歴史、文学の探索

「民主主義と社会主義」他

光陽出版社

思想と歴史、文学の探索——目次

一

民主主義と社会主義

――日本共産党綱領にかかわって

一、序章

現代における社会進歩を問ううえで、民主主義と社会主義、およびその相互の関係という問題がもつきわめて重要な意義については、だれも異論はないであろう。もはや直接体験した人は少なくなっているが、いまから半世紀以上さかのぼって、日本共産党が党綱領で日本の進路を定めるさいに、最大の争点となったのが当面する日本の変革は民主主義革命か社会主義革命かという問題であったことも、その一つの例である。綱領論争は一九五八年の第七回党大会で決着がつかず、三年がかりの党内論争をへて、一九六一年の第八回党大会でようやく今日にいたる民主主義革命の路線が確定した。日本共産党による実践的理論的開拓の大きな成果であった。

当時は、民主主義革命といえば、イギリスやフランスの歴史に見るブルジョア民主主義革命か、植民地における反帝・反封建の民主主義革命以外にはなく、発達した資本主義国における革命は社会主義革命であるというのが、国際的にも通説になっていた。そのころ、国内最大野党であった日本社会党がその路線をとり、日本共産党内でもそうした見地に立つ党幹部、党員、とくに著名な経済学者をふくむ知識人党員は少なくなかった。五八年、第七回党大会直後に入党して当時大学生、大学院生だった私自身、社会主義革命論を当然と信じ、反帝・反独占の民主主義革命という現綱領の路線を受け入れるのは容易ではなかった体験をもつ。一九六〇年を頂点とする日米安保条約改定をめぐる国民的なたたかいの実践を通じて、また当時の党の指導、援助、とりわけ中央から東京・文京地区委員会に派遣されてきていた小菅省三さん（後に栃木県党の副委員長などを歴任）からの懇切ていねいな援助をうけて、目から鱗がおちるような衝撃のもとに、民主主義革命論を受け入れ、第八回党大会で綱領案に賛成したのを、ついこの間のことのように記憶している。

党綱領は、二〇〇四年の第二三回党大会での改定を経て今日にいたっているが、その基本路線は引き継がれている（綱領はその後二〇二〇年の第二八回党大会で再度改定されている）。そこでは、「現在、日本社会が必要としている変革は、社会主義革命ではなく、異常な対米従属と大企業・財界の横暴な支配の打破――日本の真の独立の確保と政治・経済・社会の民主主義的な改革の実現を内容とする民主主義革命である。それらは、資本主義の枠内で可能な改革であるが、日本の独占資本主義と対米従属の体制を代表する勢力から、日本国民の利益を代表する勢力の手に国の権力を移すことによってこそ、その本格的な実現に進むことができる」とある。そして、「日本の社会発展の次の段階では、資本主義を乗り越え、社会主義・共産主義の社会への前進をはかる社会主義的変革が、課題となる」とのべられている。すなわち、民主主義革命の段階と社会主義・共産主義の実現の段階とがきっちり区別され、異なった歴史的発展段階としてはっきり明示されている。科学的社会主義の立場に立つわれわれにとって今日、これは疑問の余地のない明確な歴史的展望といってよかろう。

しかし、ここには党綱領路線における民主主義革命と社会主義的変革の関連についての一つの重要な理論的発展がある。具体的にいうと、第八回党大会で決めた綱領と二〇〇四年に改定された新しい綱領との間には、社会主義・共産主義の意味する内容などを別としても、民主主義革命から社会主義的変革への発展について、大きな違いがあるのである。旧綱領では、「独占資本主義の段階にあるわが国の当面の革命はそれ自体社会主義的変革への移行の基礎をきりひらく任務をもつものであり、それは、資本主義制度の全体的な廃止をめざす社会主義的変革に急速に引き続き発展させなくてはならない。すなわちそれは、独立と民主主義の任務を中心とする革命から連続的に社会主義革命に発展する必然性をもっている」となっていた。いわば、民主主義革命から社会主義革命への連続的発展、つまり「二段階連続革命論」となっていたのである。

第八回党大会で綱領草案の説明に立った当時の宮本顕治書記長は、この点について以下のようにのべている。「日本革命の過程は、反帝反独占の民主主義革命を遂行し、それを社会主義革命へ発展、転化させるという、二つの革命段階を連続的にすすむ路線をすすまなくてはなりません」「二つの革命段階のあいだにいわゆる万里の長城をきずくことはできませんし、革命の過程で民主主義的任務と社会主義的任務の部分的錯綜ということはありえます」（宮本顕治『日本革命の展望〈上〉』〈新日本出版社〉一三五頁～一三六頁）。

ごらんのとおり、民主主義革命から社会主義的変革へ明確な二段階連続革命論である。これは、当時の論争の相手側が、反独占社会主義革命を唱え、民主主義革命を主張する側にたいして、社会主義の実現を永遠の彼方に押しやるかのように非難していたという条件も作用していたかもしれないが、当時のわれわれにとっては、自明の真理と思われていたのである。しかしこの考え方は、日本における民主主義革命の特質をつめきっていたとはいえなかった。のちに公明党などから〝民主主義の電車というので乗ったら、共産主義という駅に連れていかれる〟などと批判される一因にもなった。

新しい綱領案が発表されたさい、そこで民主主義革命を独自の歴史的段階と規定したことに注目した私は、大会前に綱領草案を討議した第七回中央委員会総会で発言し、そのことの意義についてて私見をのべつつ質問した。わたしの質問にたいする当時の不破哲三議長の答えは、少し長くなるが以下のとおりであった。

「足立さん（中央）の質問は、民主主義革命について、社会主義革命への転化の角度からの特徴づけをなくしたことについて、賛成だが、そうした意味を聞きたい、というものでした。

これはいわゆる連続革命論といわれる問題ですが、当面する民主主義革命の意義を論じるときに、六一年に採択した綱領では、社会主義革命への道すじとしての意義づけがくりかえし強調されていました。まず、民主主義革命の意義についての最初の文章が、『労働者階級の歴史的使命である社会主義への道は、…真の独立と………民主主義的変革を達成する革命をつうじてこそ、確実にきりひらくことができる』というものので、これが社会主義への確実な道だというところに、民主主義革命のなによりの意義を求めるという調子が強くありました。また、民主主義革命論の最後の部分でも、民主主義革命が『日本人民の歴史』の上で転換点として意味をもつことを説明したあとで、この革命は『それ自体社会主義的変革への移行の基礎をきりひらく任務をもつ』こと、それは、『社会主義的変革に急速にひきつづき発展させなくてはならない』こと、民主主義革命から『連続的に社会主義革命に発展する必然性をもっている』ことの、くりかえしの強調がありました。

ここには、社会主義革命論者との論争の一つの反映があったのかもしれませんが、社会主義への移行を民主主義革命の当然の任務とみなすような表現は、誤解のもとにもなりうるものでした。民主主義革命から社会主義革命への前進は、客観情勢の成熟とあわせて、『わが国の労働者階級と人民の多数がそれを必要とすると考える』こと、すなわち国民多数の意思を決定的な条件にするものであって、そのことをぬきにした自動的な過程などではないことは、第七回党大会の綱領報告でも、すでに明確にされていたところです」「今回の改定案では、この立場から、民主主義革命そのものが、社会主義革命につながる性格を本来的にもっているとか、民主主義革命が成功したら、次の段階への前進を急ぐのが当然の任務になるとか、連続革命的な誤解を残すような表現は、すべて取り除き、社会の進歩は、どんな段階でも、主権者である国民の判断の発展によってすすむという根本の見解が、すっきりとつらぬかれる表現に整理したわけです」(「第二二回大会第七中総決定」〈党出版局〉、四九頁)

党綱領上のこのような発展が、日本社会の将来展望においてきわめて重要な意義をもつことは改めて説明する必要はあるまい。科学的社会主義の世界観と立場に立つわれわれにとって、民主主義革命の次の段階が社会主義的変革であることはいうまでもない。党綱領にもそのことは明記されている。しかし、民主主義革命から社会主義革命への前進は、情勢の成熟と国民多数の意思によるのであって、民主主義革命がそれじたいに社会主義的変革への前進が法則的に定められているのではなく、民主主義革命はひとつの独自の歴史的段階をなす、というのがその基本的見地である。

ちなみに私は第二三回党大会でも機会を得て、「四二年ぶりの綱領の全面的な改定にあたって、その世界論、未来社会論に大いに注目しつつ、民主主義革命論を『より現代的、合理的に仕上げ』たことの持つ重要な意義について」発言した。そこで私は、新しい綱領、民主主義革命によってなしとげる民主的変革の内容を「国の独立・安全保障・外交の分野」「憲法と民主主義の分野」「経済的民主主義の分野」の三つの分野にわたって明確にしたこと、民主連合政府と民主的変革、民主主義革命の関係を明確にしたこと」の意義とあわせて、次の点を強調した。「今回の改定によって、民主主義革命、民主的変革が、国民が主人公の精神に立つわが国の歴史の根本的転換として、一つの時代を画することが、いっそう明確にされたことを指摘したいと思います。つまり、民主主義革命から社会主義革命への連続的転化というかつての議論にみられたように、民主主義革命をともすれば社会主義革命への通過点、過渡期とみなす理解を綱領から完全に一掃し、民主主義革命、民主的変革が日本の歴史において独自の価値ある時代となることが、疑問の余地なく明瞭にされました」（『前衛』二〇〇四年四月臨時増刊号）と。

以上のような経緯もあって、私はその後も今日にいたるまで、民主主義革命と社会主義的変革のそれぞれの意義およびその相互の関連について考え続けてきた。そして、この問題をめぐって科学的社会主義の古典家たちがどう論じてきたかを、私なりに勉強してきた。そこで学んだことを私なりに整理し、そのうえでこの問題のもつ今日的な意義について若干言及してみることにする。そのさい、不破哲三氏による科学的社会主義にかんする一連のすぐれた労作（『マルクスと「資本論」』全三巻、『エンゲルスと「資本論」』上下、『レーニンと「資本論」』全七巻、『マルクス、エンゲルス革命論研究』上下など〈いずれも新日本出版社刊〉）がなによりの導きの糸となった。マルクス、エンゲルス、レーニンの理論を出来上がったものとしてではなく、歴史の中で発展的にとらえるという方法による不破氏の研究に依拠することなしに、私の以下の論述はなりたちえなかったことを最初に断っておきたい。

二、マルクス、エンゲルスのばあい

i、民主的変革に直面するドイツでなぜ社会主義を唱えたのか

そもそも、科学的社会主義の創始者であるマルクス、エンゲルスが、民主主義革命にとどまらず、社会主義・共産主義への変革を唱えたのはなぜか、という根本問題がある。一九世紀半ば、マルクス、エンゲルスの青年時代、二人の祖国ドイツが直面していたのは民主的変革、民主主義革命であった。イギリス、フランスではすでに民主主義革命をなしとげ、封建的諸関係、諸制度は基本的に一掃され、資本主義の急速な発展が遂げられていたのに対して、ドイツは明治維新前の日本のように三九の小国に分立し、封建的諸関係や制度、思想が存続し、イギリス、フランスに比べ資本主義の発展も遅れていた。このようなドイツで近代国家としての国の統一をなしとげ、封建的諸関係、諸制度を一掃する民主的変革、民主主義革命こそ、さし迫った緊急課題であった。ベルリン大学を卒業したマルクスが、その進歩的思想のゆえに大学から締め出され、進んだジャーナリストの世界、ライン新聞で、まずとりくんだ課題の一つが出版の自由という民主的権利の実現にあったことは、そのことを端的にしめしている。

当時、革命的民主主義者であったマルクスはある時期までは、社会主義、共産主義に対してはむしろ批判的な、慎重な態度をとっていた。たとえば、一八四二年にライン新聞に書いた論説では次のように述べている。「『ライン新聞』は、今日の姿における共産主義思想にたいしては、理論的な現実性さえみとめず、したがって、それの実現はなおさら願っておらず、あるいはこれを可能とさえ考えることができないのであるから、これらの思想にたいして根本的な批判を与えるであろう。しかし、ルルーやコンシデランの著書、とりわけプルードンの明敏な労作のような著作は、そのときどきの皮相な思いつきによってではなく、長期にわたる、深遠な研究のあとで初めてこれを批判できる」(「共産主義とアウブスブルク『アルゲマイネ・ツァイトゥンク』全集第一巻、一二四頁～一二五頁)。

当時のドイツでは、フランスの空想的社会主義思想をドイツ流に改変した観念的空論が社会主義、共産主義の名で一部の人々の間で流行していた。これにたいして批判的だった若きマルクスが、社会主義・共産主義思想そのものについては本格的な研究の対象とみなしながら批判的態度をとっていたことが、ここからうかがえる。マルクスはまもなく社会主義・共産主義思想の積極的支持へとすすむが、それはどのようにしてか？　マルクスのこの思想的発展そのものが、民主主義から社会主義への転化、発展を物語っている。

マルクスの時代には、民主主義的変革、民主主義革命によってこそその発展を保障されるはずだった資本主義そのものが、イギリス、フランスはもとよりドイツでも早くも深刻な矛盾を露呈し、それら諸矛盾の克服が時代に敏感な人々の課題にのぼってきている。ドイツが直面するのは民主的変革であるが、民主的変革を実現すれば、万事がうまくいくと展望できる状況ではもはやなくなってきていたのである。ここに、遅れたドイツで民主主義的変革にとりくむマルクスが直面せずにおかなかった新たな重大問題があった。

マルクスの問題への接近の仕方は次のとおりである。マルクスが二五歳の一八四三年に書いた論文に「ユダヤ人問題によせて」がある。青年ヘーゲル派の論客だったブルーノ・バウアーの論文「ユダヤ人問題」がユダヤ人の解放のためにはユダヤ人がその宗教を捨てるべきだと説いたのを批判するなかで、ユダヤ人の解放＝ユダヤ人に他の人々と同じように国家公民としての権利をみとめること、すなわちそういう社会への民主的変革を実現することを、マルクスは「政治的解放」という概念でとらえ、はたして「政治的解放」によって人間は本当の意味で解放されるのか、と問うのである。

「どういう種類の解放が問題なのか？　要求される解放の本質にもとづいた諸条件とはどんなものであるのか？　政治的解放それ自身の批判であってはじめてユダヤ人の問題の終結的な批判となり、ユダヤ人問題を

『時代の一般的問題』のなかへ真に解消するものである」(全集第一巻、三八八頁)、「したがって、われわれはユダヤ人にむかって、バウアーのように、君たちはユダヤ教から自分を徹底的に解放することなしには、政治的に解放されえない、とはいわない。われわれはむしろこういう。君たちはユダヤ教から完全に矛盾なく自分を絶縁しないでも、政治的に解放されうるのであるから、したがって政治的解放そのものは人間的解放ではない。もし君たちユダヤ人が、自分自身を人間的に解放することなしに政治的に解放されることを欲しているとしても、不徹底と矛盾とは君たちのなかにだけあるのではなく、政治的解放の本質とカテゴリーのなかにある」(全集第一巻、三九九頁)、「究極の意味におけるユダヤ人の解放は、ユダヤ教からの人間の解放である」(同、四〇九頁)

ここでマルクスは、ユダヤ教の名のもとに比喩的な意味で資本主義そのものをみている。国家と市民社会というヘーゲル的図式の枠内からではあるが、「政治的解放」＝民主的変革、民主主義革命によってユダヤ人が国家公民としての民主的権利は獲得し得ても、利己的な人間からなり、貧困や経済的不平等が支配する市民社会＝資本主義社会の現実はかわらず、人間の本当の解放＝「人間的解放」とはならないのだ、市民社会＝資本主義社会そのものの変革、すなわちそれによる「人間的解放」が必要である、と説く。まだヘーゲル哲学の名残をのこした論文であるが、若い日のマルクスが本当の意味での人間の解放とはなにかという問題を中心にすえて、民主的変革と社会主義・共産主義的変革との関係に迫っていたことは、注目に値する。

なお、「人間的解放」という角度から社会主義・共産主義を受容するにいたったマルクスにとって、もう一つの大問題があった。ではいったいそうした「人間的解放」をだれがなしとげるのか、という問題である。ドイツが直面する民主主義革命の遂行でさえ、イギリス、フランスなどでそうであったようにドイツのブルジョアジーには期待できない。ドイツのブルジョアジーはそれほど微力で、封建的支配に対して妥協的である。だとしたら、急務となっている民主主義革命を、まして「人間的解放」をだれがになうのか？

マルクスは、同じ時期に書いた「ヘーゲル法哲学批判序説」で、当時のドイツの状況を次のように描く。「みじめなもののいっさいを温存することによって生きながらえ、それ自身政治のみじめさにほかならない政治体制、こういう政治体制のわくに閉じこめられている、すべての社会領域相互の息苦しい圧迫、全般的な無為の沈滞、自負したり勘違いしたりする偏狭さ」（全集第一巻、四一七頁）、「諸侯が国王と、官僚が貴族と、ブルジョアがこれらすべてと闘争しているあいだに、もう他方ではプロレタリアがブルジョアにたいする闘争をはじめているありさまである。中間階級が自分の立場から解放の思想をつかみとろうとするかしないうちに、すでに、社会状態の発展と政治理論の進歩とは、この立場そのものを、もう時代遅れだとか、あるいはすくなくとも問題だとか宣告しているのである」（同、四二六頁）

ドイツのブルジョアジーは軟弱で、一八四八年のドイツ革命で露呈するように、民主主義革命をたたかいぬくどころか、プロレタリアートの台頭におびえて、むしろ封建勢力への屈服、妥協に走る。そんなドイツで、政治的解放にとどまらず人間的解放の事業をにない得るのはだれか？　この問いに答えるのが、プロレタリアートである。「それでは、ドイツの解放の積極的な可能性はどこにあるのか？　解答。それはラディカルな鎖につながれた一つの階級の形成のうちにある。市民社会のどんな階級でもないような市民社会の一階級、あらゆる身分の解消であるような一身分、その普遍的苦悩のゆえに普遍的性格をもち、……社会のこうした解消をある特殊な身分として体現したもの、それがプロレタリアートである」（同、四二七頁）、「ドイツではあらゆる種類の隷属をうちやぶることなしにはどんな種類の隷属をもうちやぶることはできない。

根本的なドイツは、根本から革命することなしには、どんな革命もおこなうことができない。ドイツ人の解放は人間の解放である。この解放の頭脳は哲学であり、心脳はプロレタリアートである」（同、四二八頁）

ここにはなお観念的な思考の名残を感じさせるとはいえ、プロレタリアート＝労働者階級がドイツにおける真の革命の担い手であるとの、マルクスの到達した確信が示されている。労働者階級にとっては、民主主義革命が実現しても、賃金奴隷として搾取され抑圧されるという境遇は根本的には解決されないのである。労働者階級による社会の根本的改革、それによる人間の解放、これが若きマルクスの到達した結論であった。マルクスが終生労働者階級の立場に立ってその解放のために生涯をささげる出発点を、ここにみることができる。

なお、エンゲルスの場合は、ヘーゲル哲学の批判から革命的民主主義者として出発する点ではマルクスと共通するが、若き企業家としてイギリスのマンチェスターにおもむき、そこで資本主義の下で苦しむ労働者の実態を直接体験するなど、マルクスとはやや異なる思想形成をしているがここでは立ち入らない。

ii、『共産党宣言』における民主主義と社会主義

マルクス、エンゲルスは、ヘーゲル哲学を批判的に乗り越えて唯物論、とりわけ史的唯物論の世界観、歴史観を確立するとともに、一八四七年に創立された共産主義者同盟に参加する。マルクスは、同盟の依頼により科学的社会主義の最初の綱領的文書である「共産党宣言」を執筆し、一八四八年三月にドイツで革命がおこる直前の二月に刊行する。そして、ドイツで革命がはじまるとこれに積極果敢に参加し、「ドイツにお

ける共産党の要求」を発表するとともに、「新ライン新聞」を舞台に革命の一翼をになって活躍する。ここでは、「共産党宣言」(全集第四巻、四七五頁〜五〇八頁)において、民主主義革命と社会主義的変革がどのように提起されているかをみてみよう。

「宣言」は、大きくいって二つの要素からなる。一つは共産主義革命の理論と方針であり、もう一つは当面する民主主義的変革、運動にたいする共産主義者の態度についてである。

『宣言』は、労働者階級の運動の根本的性格、究極的目標、実現されるべき社会について、史的唯物論の立場にたって正面から提起する。「これまでのすべての社会の歴史は、階級闘争の歴史である」(この時点ではマルクスはまだ原始共産制社会の存在を知るにいたっていない)こと、共産主義革命が、「ブルジョアジーにたいする労働者階級のたたかいの必然的帰結」であること、そして「これまでのあらゆる運動は、少数者の利益のための運動であった。労働者階級の運動は、多数者の利益のための大多数者の自主的運動である」こと、さらに、「共産主義者の当面の目的は、他のすべてのプロレタリア諸党の目的と同じである。すなわち、プロレタリアートを階級に結成すること、ブルジョアジーの支配を打倒すること、プロレタリアートの手に政治権力を獲得すること、これである。」

つづいて、生産手段の社会化という目標が提起される。「プロレタリアートは、その政治的支配を利用して、ブルジョアジーからつぎつぎにいっさいの資本を奪いとり、いっさいの生産用具を国家の手に、すなわち支配階級として組織されたプロレタリアートの手に集中し、生産諸力の量をできるだけ急速に増大させるであろう」「発展がすすむなかで、階級差別が消滅して、すべての生産が連合した諸個人の手に集積されると、公的権力(ゲヴァルト)は政治的性格を失う」「階級と階級対立のうえに立つ旧ブルジョア社会に代わって、各人の自由な発展が万人の自由な発展の条件であるような一つの結合社会が現れる」

『共産党宣言』は、世界の労働者階級の前に、まだ粗削りではあるが、共産主義の実現による労働者階級の最終的な解放という大目標をかかげ、この世界からいっさいの搾取と階級対立、あらゆる社会的・政治的・民族的抑圧をとりのぞき、真に人間らしい社会を生み出す展望をしめした。そこでは、多数者による多数者のための革命、労働者階級による権力の獲得といった注目すべき提起もみられる。

『宣言』が提起するもう一つの問題、当面する民主主義的変革の課題と運動に対する共産主義者の態度についてはどうか。

まず、民主主義的変革の位置づけである。「労働者革命の第一歩は、プロレタリアートを支配階級に高めること、民主主義をたたかいとることである」「共産主義者はドイツにそのおもな注意を向ける。それは、ドイツがブルジョア革命の前夜にあるからである。また、ドイツが一七世紀のイギリスや一八世紀のフランスよりも、いっそう進歩したヨーロッパ文明全体の諸条件のもとで、またはるかに発展したプロレタリアートをもって、この変革をなしとげるので、ドイツのブルジョア革命はプロレタリア革命の直接の序幕となるほかはないからである」

ドイツにおいては民主主義革命が当面の課題であり、民主主義革命が労働者の解放の第一歩、「労働者革命の第一歩」「序幕」となるという位置づけである。イギリス、フランスより進んだ歴史的条件のもとでたたかわれるドイツの民主主義革命は、プロレタリア革命に直結するという意味で、特別の歴史的な意義をもつことが強調されているのである。すなわち、民主主義革命から社会主義革命への連続的発展が自明のこととされているのである。そして、民主主義をめざすあらゆる運動と共産主義者との連帯が強調される。

「ドイツでは、共産党は、ブルジョアジーが革命的に行動するときは、ブルジョアジーと共同して、絶対君主制、封建的土地所有、小町人層とたたかう。しかし、共産党は、ブルジョアジーとプロレタリアートの敵対的な対立についてのできるだけ明瞭な意識を労働者のあいだにつくりだすことを、一瞬も怠らない。ブルジョアジーの支配にともなって必ず成立すべき社会的および政治的諸条件を、ドイツの労働者階級がそのまま武器として、すぐさまブルジョアジーに向けかえさせることができるようにするためであり、ドイツでは反動的諸階級が打倒された後で、すぐにブルジョアジーそのものにたいするたたかいが始まるようにするためである」

マルクスのこの見地は連続革命論＝「永続革命」論ということができる。少し後になるが、四八年の革命の敗北後の一八五〇年三月、共産主義者同盟の再組織のために出された「中央委員会の同盟員への呼びかけ」では、労働者階級が政治権力を掌握して「少なくとも決定的生産力がプロレタリアートの手に集中されるまで、革命を永続させる」（全集第七巻、二五三頁）必要を説いている。

では、『共産党宣言』は当面する革命での政治的課題をどのように提起するか？

労働者階級が政治的支配権を握った場合にとるべき方策について、『宣言』は以下のような課題をあげている。「一、土地所有を収奪し、地代を国家の経費にあてること、二、強度の累進税、三、相続権の廃止、四、すべての亡命者および反逆者の財産の没収、五、排他的な独占権をもった、国家資本による単一の国立銀行をつうじて、信用を国家の手に集中すること、六、全運輸機関を国家の手に集中すること、七、国有工場と生産用具を増大させること、単一の共同計画によって土地を開墾し改良すること、八、万人平等の労働義務、産業軍、とくに農耕産業軍の設置、九、農業経営と工業経営を統合すること、都市と農村の対立をしだいに除去するようにつとめること、一〇、すべての児童にたいする公共の無料教育。今日おこなわれている形態での児童の工場労働の撤廃。教育と物質的生産との結合、その他」

これらの政綱のうち、累進税や相続税の廃止、児童にたいする無償教育などは、文字通り民主的要求に数えられるものである。同時に、その多くは、生産手段の社会化＝社会主義的生産関係へとつながる方策である。「宣言」は、共産主義者同盟という国際組織のための綱領的文書であるから、ドイツが直面する民主革命の政綱にとどまらない、社会主義・共産主義革命の一般的な課題をかかげているとみてよいであろう。『宣言』のこうした論建ての背景には、客観情勢についての一面的な認識があったことを指摘しなければならない。当時のマルクスやエンゲルスは、資本主義経済がすでにいきづまり、破局をむかえており、民主主義革命に直面するドイツをふくめてヨーロッパ各国での社会主義・共産主義革命の客観的条件が成熟している、社会主義・共産主義革命が切迫しているという情勢認識があった。これが正しくなかったことは、のちに晩年のエンゲルスが『マルクス「フランスにおける階級闘争」への序文』で、反省的に振り返っているところである。「歴史は、われわれおよびわれわれと同じように考えたすべての人々の考えを誤りとした。歴史は、大陸における経済発達の水準が、当時まだとうてい資本主義的生産を廃止しうるほどに成熟していなかったことを明白にした」(古典選書『多数者革命』、二五〇頁)と。したがって、『宣言』にみられる連続革命論＝永久革命論は、そうした致命的ともいうべき歴史的制約のもとで唱えられたものということができる。

iii、「ドイツにおける共産党の要求」について

では、民主主義革命に直面していたドイツではどのような政綱が掲げられたであろうか。一八四八年の三月革命勃発にさいしてマルクス、エンゲルスが発表した「ドイツにおける共産党の要求」（全集第五巻三〜四頁）を見てみよう。四八年二月に共和制の復活をかかげてフランスで革命がおこると、その波はただちにオーストリア、ドイツに波及する。ドイツでは、ベルリンで王宮前に集まった民衆にプロイセンの近衛兵が発砲したことから市街戦が始まり、民衆が勝利し改革派のブルジョアジーが権力を握るにいたる。マルクス、エンゲルスが「ドイツにおける共産党の要求」を発表したのは、その直後である。二人がただちに帰国して南ドイツのケルンを拠点に、そこでたちあげた「新ライン新聞」を舞台に活躍したことにはすでにふれた。「要求」は、「一、全ドイツは単一不可分の共和国である。二、二一歳に達したドイツ人はすべて、選挙権と被選挙権をもつ」をはじめとして、一七項目の要求を掲げている。そのなかで、「一三、国家と教会の完全な分離。一四、相続税の制限。一五、高度の累進税の実施と消費税の廃止」「一七、無料の普通国民教育」などは、民主主義革命における当然の要求である。注目されるのは、農民の民主的要求が重視されていることである。「六、これまで農民を苦しめてきた、あらゆる封建的負担、あらゆる貢租、賦役、一〇分の一税等は、なんらの補償なしに廃止される。七、王侯領その他の封建的領地、すべての鉱山、炭鉱等はこれを国家の財産とする。これらの領地では、農業は大規模に、科学の最新の方法を用いて、全国民の利益のために経営される。八、農民の地所に設定された抵当権は、国家の財産であると宣言される。農民は、それらの抵当権の利子を国家に支払う。九、小作制度の発達した地方では、地代または小作料は、租税として国家

に支払われる」等などである。

人口の大きな部分を占めている農民が、なお封建制のもとにおかれていたドイツでは当然のことである。『共産党宣言』では「土地所有を収奪し、地代を国家の経費にあてる」とあるだけで、農民の要求が具体的にとりあげられていないのと対比して、これは注目すべきことである。

「要求」は同時に、「一〇、すべての私的銀行を廃止して、一つの国立銀行を設立する」「一一、すべての交通機関、すなわち、鉄道、運河、汽船、道路、郵便等は、国家がその手におさめる。これらのものは、国家の財産とされ、無産階級に無料で自由に利用させる」など、社会主義的変革につながる政綱もふくまれる。ここにも、社会主義・共産主義革命の客観的条件が成熟しているとの当時のマルクス、エンゲルスの情勢判断が反映しているといえよう。民主主義革命から社会主義・共産主義革命への連続的発展、永久革命の見地である。

iv、第一インタナショナルのばあい

さて、時代は少し進んで一八六四年に国際労働者協会（第一インタナショナル）が創設される。これは、労働者階級の解放をめざすさまざまな潮流の労働者運動、社会主義運動をむすんだ最初の国際組織である。その「創立宣言」と規約をマルクスが執筆した。

「創立宣言」は、まず、一八四八年以来のイギリスにおける労働者階級の貧困の増大と状態悪化を客観的な事実にもとづいて紹介し、そうした事態がヨーロッパ全体でもいえることを指摘する。つづいて、労働時間

を法律で制限する一〇時間労働法の実現や協同組合工場の実験の発展という「偉大な社会的実験」の成功という「明るい反面」を指摘し、「勤労大衆を救うためには、協同労働を全国的規模で発展させる必要があり、したがって国民の資金でそれを助成しなければならない」（古典選集『マルクス インタナショナル』、二〇頁）と提起する。

そして、「政治権力を獲得することが労働者階級の偉大な義務となった。労働者階級はこのことを理解したようにみえる。なぜなら、イギリス、ドイツ、イタリア、フランスで、同時に運動の復活が起こり、労働者党の政治的再組織のための努力が同時になされているからである」（同）と展開して、労働者階級による権力の獲得を提起する。「宣言」は、最後に、「私人の関係を規制すべき道徳と正義の単純な法則を諸国民の交際の至高の準則として確立すること」を労働者階級の運動の対外政策の義務として提起し、「万国のプロレタリア団結せよ！」で結んでいる。

ここには、労働者階級による権力の獲得は提起されているが、社会主義・共産主義ということばも、生産手段の社会化という課題もみられない。それは、この組織が、オーエン主義者からプルードン主義者、ブルジョア共和派に近い人物など多様な潮流をふくむ緩やかな結合体であったからである。規約第一条は、「本協会は、同一の目的、すなわち労働者階級の保護、進歩および完全な解放をめざしているさまざまな国々の労働者諸団体の連絡と協力を媒介する中心として創立された」（同二八頁）とされている。したがって、各国における運動の戦略や展望については、それぞれの国と運動にゆだねられていて、国際労働者協会の「創立宣言」や規約には、立ち入った規定はない。

第一インタナショナルは、ロンドンに総評議会を置いてヨーロッパ各国の労働運動、社会主義運動の発展に大きな役割をはたすが、一八七一年のパリ・コミュンの敗北のあとのヨーロッパ規模でくりひろげられた反動の嵐と無政府主義者バクーニン派の分裂策動によって、大きな困難に直面し、七二年のハーグ大会で総評議会のニューヨーク移転を決め、七六年にその役割を終えて解散する。

その間マルクス、エンゲルスの主導によってインタナショナルは、とくに革命路線にかかわる問題では、労働者階級の解放のたたかいにおける労働組合の役割を明確にしたこと、アイルランドの独立問題で民族自決権を民族問題解決の大道として明確に位置づけ、アイルランドの独立なしにイギリス労働者階級の解放はありえないとの立場を確立し、その後の民族解放運動と革命運動の関係を明確にしたこと、さらに、土地所有の社会化という限定された角度からではあるが、生産手段の社会化が決議されるなど、未来社会論の分野でも論議が深まっていったが、これらについては、ここでは立ち入らない。

ただ、土地所有の社会化を当面の課題にかかげることについては、フランスの農民の分割地所有など小生産者との関係で、マルクスは慎重な態度をとっていることを、不破氏が『革命論研究』で指摘していることに注意を促しておきたい。

V、ゴータ綱領とマルクスの批判

ドイツにおいて科学的社会主義の立場に立つ政党が出現するのは、一八六九年の社会民主労働者党（アイゼナッハ派）の創立によってである。マルクス、エンゲルスの影響のもとにリープクネヒト、ベーベルらによって結成されたこの党は、同年八月に開かれた大会で綱領を採択する。

そこでは、「社会民主労働者党は、自由な人民国家の樹立をめざして努力する」として、「あらゆる階級支配の廃止」などの原則を支持し、党を「国際労働者協会の支部とみなす」などがうたわれているが、「当面の諸要求」としてかかげたのは、「二〇歳以上のすべての男子に普通・平等・直接・秘密選挙権」「人民による直接立法」「身分、財産、出身および宗派にもとづくあらゆる特権の廃止」「教会から国家の分離」「あらゆる間接税の廃止、および単一・直接・累進所得税および相続税の採用」など、いずれも民主的課題である。唯一例外は、最後に「協同組合制度の国家的促進、および自由な生産協同組合にたいする、民主的保障のもとでの国家信用」という社会主義につらなる要求が掲げられていることである。ここにはラサール派の影響をみとめるが、ドイツの直面する歴史的課題からいって、主として民主的課題が前面におしだされているのはある意味では当然のことといえよう。この時点では、マルクス、エンゲルスともに、資本主義生産の破綻を根拠にした、社会主義・共産主義革命の切迫という誤った情勢認識からは脱却している。

この党は、リープクネヒト主導のもとに一八七五年にマルクスにもエンゲルスにも相談することなく、「国家の援助のもとに労働者の生産協同組合をつくる」という主張をかかげる、科学的社会主義とは無縁のラサール派（全ドイツ労働者協会）と無原則な合同をおこなう。これを知ったマルクス、エンゲルスが合同に当たっての党の綱領草案にたいして厳しい批判をおこなったことは、マルクスの「ゴータ綱領批判」（「ゴータ綱領にたいする評注」）やエンゲルスのベーベルにあてた手紙でよく知られているところである。

この綱領には、「労働収益の公正な分配」だとか、「自由な国家」「「賃金鉄則」「国家の援助による生産協同組合」といったラサール派の根本的に誤った見解がそのままとりいれられ、肝心の労働者階級の政治支配の確立、労働者階級の執権の樹立にも、「共産主義社会の未来の国家制度」にもふれられていない。

そこには、「自由な国家と社会主義社会」「国家援助によって社会主義的生産協同組合を設立する」といったラサール派流の基本方針とともに、「当面の目標」として「二〇歳以上のすべての国民の、秘密かつ義務的な投票による、普通・平等・直接選挙権と投票権」「人民による直接立法」「常備軍にかわる民兵制」「自由な意見の表明、自由な思考と探求を制限するいっさいの法律の廃止」など、一三項目の民主的要求が掲げられている。マルクスはこれについて、「綱領の政治的諸要求は、普通選挙権、直接立法、人民の権利、民兵制、など、あまねく知られた民主主義的な繰り言のほかには、なにも含んではいない」（古典選集、四四頁～四五頁）と手厳しい。当時のドイツでこれら当面の民主的目標を、民主的共和制という主権在民の国家形態の実現なしに、封建的専制国家のもとで可能な課題のように提起しているところに、ラサール派への屈服にもあらわれた致命的理論的弱点を、マルクスは見抜いたのである。

マルクスはこの綱領案に逐条的に厳しい批判を書き込んだ評注をつくり、それは合同党大会直前に同党に送られるが、ごく少数の党幹部の間で内々に処理され、綱領草案はごく部分的な手直しだけで、採択された。かように、ラサール派との無原則な妥協、譲歩による根本的に誤った内容をもつ綱領ではあるが、当面の課題を民主主義的課題にしぼって提起していることは、一八七一年に上からの国家的統一をなしとげ近代国家として出発したばかりのドイツの党ならではといえよう。

なお、マルクスは「ゴータ綱領批判」のなかで、資本主義から共産主義への過渡期の問題を提起している。すなわち「資本主義社会と共産主義社会とのあいだには、一方から他方への革命的転化の時期がある。その時期にまた政治的な過渡期が対応するが、この過渡期の国家はプロレタリアートの革命的ディクタトゥール以外のなにものでもありえない」（古典選書四三頁）。マルクスは七一年のパリ・コミュンの経験を経て、この過渡期が一定の長期にわたるという展望を語るにいたることも注記しておく。

vi、エルフルト綱領とエンゲルスの批判

ドイツでは、一八七一年の国家的統一いらい、きわめて制限された権限しかもたなかったとはいえ議会も開設される。ドイツ社会民主党は、開設されたドイツ帝国議会で選挙のたびに躍進し、これを恐れた宰相ビスマルクのもとで社会主義者取締法によって非合法化され過酷な弾圧をうけるが、これに打ち勝ってさらに飛躍をとげて、一八九〇年の選挙では、一四二万票、三五議席を獲得し、社会主義者取締法を葬り、ビスマルクを退陣に追い込むにいたる。

この状況のもとでドイツの党は一八九一年、エルフルトで党大会を開き、綱領の改定をおこなう。エンゲルスは、この大会に向けてマルクスの「ゴータ綱領批判」を党機関紙「ノイエ・ツァイト」で公表し、誤った綱領を科学的な綱領に改めるために主導的役割をはたす。そういう経緯をふまえて、新しい綱領草案は、ラサール主義の影響を一掃した基本的に正しい内容のものになった。この草案に対してエンゲルスが意見を述べたのが「一八九一年の社会民主党綱領草案の批判」である。エンゲルスはそこで、「今回の草案は、いままでの綱領とは相違して、非常にすぐれている」（古典選集、八三頁）としたうえで、こまかい表現の改善についてまで自分の意見をのべているが、そのなかで基本的な問題にかかわる最大の問題は次の一点である。「草案の政治的諸要求には、一つの大きな欠陥がある。本来言わなければならないことが、そこに書かれていない」（同、九〇頁）

草案は民主的要求をあれこれ掲げてはいるが、それらを実現するには君主主権の半ば絶対主義的専制の憲法を国民主権の民主的共和制に変えなければならない、という一番基本的な問題が欠落しているではないか、というのがエンゲルスの指摘である。エンゲルスは、「第一。なにか確かなことがあるとすれば、それは、わが党と労働者階級は、民主的共和制の形態の下においてのみ、支配権を得ることができる、ということである。この民主的共和制は、すでに偉大なフランス革命が示したように、プロレタリアートのディクタトゥールの特有の形態でさえある」（同、九四頁）という。そして、「ドイツでは明瞭に共和主義的な党綱領を掲げることさえ許されないという事実こそ、ドイツで、のどかな平和的方法で、共和制を、さらに共和制だけでなく、共産主義社会を樹立できるかのような幻想がいかに途方もないものであるかを、証明している」（同、九四頁）と警告する。つづいて、新しい綱領に「共和制」を書き込めないというなら、せめて「いっさいの政治的権力を人民代表機関に集中せよ」と書き込んではどうかと、提案している。

民主的共和制のもとでのみ、プロレタリアートはブルジョアジーとの階級闘争をたたかいぬくことができること、民主的共和制のもとでのみ、プロレタリアートは議会の多数をつうじて勝利し、権力を手にすることができるというのは、かねてマルクス、エンゲルスの主張であった。ここではさらに、民主的共和制こそプロレタリアートの執権の形態であるとまで言い切っている。そして、ドイツのような専制国家で、民主的共和制の実現と結びつかないあれこれの民主的要求は、ときの条件によって部分的に実現できたとしても真の意味で手にすることはできないし、労働者階級の解放にもむすびつかないと指摘する。よくできた綱領草案がこの点で、致命的な欠陥を免れていないことに、エンゲルスが当時のドイツの党に、ゴータ綱領にもみられたような、根深く浸透している日和見主義の危険を察知し、深い憂慮の念を抱いていたことを強調しておきたい。

さてエルフルト綱領における当面の民主的要求についてみておこう。政治的要求は、まえのゴータ綱領とたいして変りはない。「労働者保護の要求」は、いっそう具体的になっている。「一、国際的労働者保護立法として、①最高八時間を超えない標準労働日の制定、②一四歳未満の児童の職業労働の禁止、夜間労働の禁止、③毎週少なくとも三六時間の連続的な休息時間」など。「二、帝国労働局、県児童局、ならびに労働委員会による全商工業経営の監督、および都市と農村における労働者諸関係の調査および規制。徹底的な産業上の労働衛生、三、農業労働者および奉公人の商工業労働者との法的同等化、奉公人の廃止。四、団結権の保障。五、管理への労働者の決定力をもつ参加をそなえた、全労働者保険の帝国による引き受け」。このうち、二、三、五項は、あらたにくわえられたものである。

エルフルト綱領が採択されたこの時期には、エンゲルスもドイツの党も、資本主義が破局をむかえ、ヨーロッパ規模で社会主義革命の条件が成熟し、革命が切迫しているというかつての情勢認識と無縁であることはすでにのべたところである。そして、議会を最大限に活用した多数者の結集による政治権力の樹立、そのための粘り強いたたかいという路線を採用している。そこでドイツの当面する政治的課題として、民主的課題が前面におしだされているのは当然といえば当然である。しかし、ここではまだ、当面の民主主義的課題の実現と社会主義的変革との関連、展望には立ち入った提起はみられない。

この問題は、ドイツでもフランスでも労働者階級が国家権力を握って民主主義の徹底的実現につづいて社会主義をめざすときに、民主的革命、改革によって土地の所有者、私的所有者となった小農民の協力、賛同をどのようにして実現するかという課題に直結する。エンゲルスは晩年の論文「フランスとドイツにおける農民問題」で、労働者階級が国家権力をにぎって社会主義にすすむさいに、小農民をどう協同組合に組織するかという問題として論じている。そこでは、「小農にたいするわれわれの任務は、なによりも、力づくではなく、実例とそのための社会的援助の提供によって、小農の私的経営と私的所有を協同組合的なものに移行させることである。そして、これが有利だということを小農に示す手段を、われわれはたしかに十分にもちあわせている」（全集第二二巻、四九四頁）とのべている。

三、ロシア革命とレーニンのばあい

i、ロシアにおける民主主義革命、一九〇五年の革命をめぐって

ロシアでは、一八六一年に農奴制は廃止されたが、そのさい広大な地主の土地所有はそのままにされたばかりか、農民が耕作していた優良地を切り取って地主の所有にしたり、農民の生活に欠かせない共有地を地主が奪ったりするとともに、農民への土地分与も有償で、農民に重い負担を強い、それに耐えられない農民を地主や高利貸しへの隷属に追い込んでいた。ツァーリの絶対主義的専制支配は、いぜんとして人口の圧倒的多数を占める農民を封建的な諸関係のもとで苦しめ、資本主義の発展をはばむ要因であることに変わりはなかったのである。ここでは、当然のことながら封建的遺物をとりのぞく民主主義革命が当面する歴史的課題となった。プレハーノフらによる労働解放団などの先駆的活動をひきついで一九〇三年には、ロシア社会

民主労働党が創立される。そのさいの綱領は、労働者階級の執権を確立し、生産手段の社会化による労働者階級の解放を終局的に展望するとともに、当面の課題としては反封建・民主主義革命をめざしたことは言うまでもない。

そこでは、ツァーリの打倒による「民主的憲法にもとづく共和制」などの政治的要求とともに、とくに重視されたのは農民の要求である。レーニンが執筆した農業綱領は、農奴制の残存物を一掃し、農村における階級闘争の自由な発展をはかることを目的に、とくに、「農奴制の廃止のさいに農民から切り取られ、地主の手中にあって農民を債務奴隷化する道具となっている土地を、農村共同体に返還する」（レーニン全集第六巻、一八頁）こと、すなわち「切り取り地の返還」を中心にすえた。そして、この段階で注目すべきは、「修道院財産と皇族の土地没収」は課題になっているが、土地の国有化はかかげていないことである。地主の大土地所有を一掃しなければ、農村における民主主義革命は完成しないのだが、当時の農民の意識の状態から、レーニンはこの要求に留意しつつも、綱領要求にはかかげなかった。そして、農民の運動の実際の発展のなかで、土地の国有化を要求にかかげるにいたる。

ロシアにおける民主主義革命の問題で、つぎに問題になるのは、この革命を遂行する政府、権力についてである。一九〇五年に第一次革命がおこる。そのなかで、労働者、農民のソビエトが生まれ、臨時革命政府、さらに革命をやりぬく政治権力、執権の確立が日程にのぼってくる。マルトフら社会民主労働党内の日和見主義の潮流は、革命がブルジョア民主主義革命だからという理由で、臨時革命政府、さらに民主的執権への参加に反対する。これにたいして、レーニンは、労働者・農民の政府、労働者と農民の革命的民主主義的執権こそが、民主主義革命をやりとげることができるという立場をつらぬく。民主主義革命における労働者と農民の革命的民主主義的執権とは、ロシア革命のなかでレーニンによって初めて唱えられた提起であり、その後のアジア、アフリカなどの多くの国々での独立運動や反帝・反封建民主主義革命のなかで、この提起は大きな役割をになうことになる。

この問題で見逃せないのは、メンシェビキが次のような論を展開していることである。レーニンによればメンシェビキの代表者の一人マルトフの主張は以下のとおりである。「完全な革命とは、プロレタリアートと貧農による権力の奪取である。《ゆえに》権力の奪取は、最初は民主主義的変革の一歩でありながら、ものの勢いによって、参加者の意思に（ときには意識にも）反して、社会主義的変革に移行するであろう。ここで、破たんは不可避である。ところで、社会主義革命の試みの破たんは不可避である以上、われわれは（一八七一年にパリにおける蜂起の破綻が不可避なことを予見したマルクスのように）蜂起しないように、時期を待ち、みずからを組織するようにと、プロレタリアートに忠告しなければならない、と」（全集八、二五六）。これは、民主的権力は必然的に社会主義にすすみ、破綻せざるを得ないとの根拠のない断定によって、だから、民主的権力をにぎるべきでない、という極端な日和見主義の議論である。民主主義的変革と社会主義的変革との関連を問う本稿では、一九〇五年の革命の過程で、このような議論があったことを記憶にとどめたい。

ロシアにおける民主主義革命について、レーニンの議論でもう一つ忘れてならないのは、農業における資本主義の発展の「二つの道」、すなわち「アメリカ型の道」と「プロイセン型の道」という提起である。レーニンによれば、「闘争の発展の核心は、ロシアにおける農奴制の残存物のもっとも顕著な体現物、そのもっとも強固な支柱としての、農奴制的巨大土地所有である。商品経済と資本主義との発展は、絶対的な不可避性をもって、この残存物の始末をつける。この点では、ロシアのまえにあるのはただひとつ、ブルジョア的発展の道である」（全集第一三巻、一二三四頁）。だとすれば、社会民主労働党はどのような方針をもって農業革命をすすめるのか？　農業の資本主義的発展は、さけられない。とすれば、たたかいはどうあらねばならぬか？　これが問題である。農業の資本主義化的発展の「二つの道」の理論は、ロシア革命のなかでこうした問題意識から導き出された。

レーニンは言う。「だが、この発展の形態は二つありうる。農奴制の残存物は、地主経営の改造という道によっても、また。地主的大土地所有の廃止という道によっても、革命の道によっても、消滅しうる。ブルジョア的発展は、大きな地主経営が先頭に立って、これがしだいますますブルジョア的になっていき、農奴制的搾取方法をブルジョア的搾取方法によってしだいにおきかえていっても、すすむことができる。また、ブルジョア的発展は、小農民経営が先頭に立って、これが革命的手段によって社会という有機体から農奴制的巨大土地所有という『こぶ』をとりのぞき、そのあとで、巨大土地所有なしに、資本主義的農業経営制度の道を自由に発展していっても、すすむことができる」（全集第一三巻、一二三四頁〜一二三五頁）

前者が「プロイセン型」であり、後者が「アメリカ型の道」である。「プロイセン型の道」では、農奴制の排除は、農奴主＝地主的経営が徐々にユンケル的＝ブルジョア的になり替わっていき、農民は水飲み百姓や作男に転化し、暴力の支配と乞食のような生活水準を強いられる。これに対して後者の道では、地主経営を伴わない自由な農業企業家群が誕生し、国内市場の急速な発展と住民の生活水準の向上がもたらされる。社会民主労働党は、この道をすすめるために農民とともにたたかう。この理論が、その後の世界の後進国の革命運動に大きな貢献をしてきたことも指摘しておく。

レーニンは、当面する民主主義革命の諸要求を「最小限綱領」、社会主義・共産主義の目標を「最大限綱領」と呼ぶことがある。民主的共和制をはじめとする民主主義革命の完全な遂行が社会主義・共産主義への前進の土台となるが、この段階では、両者の関係、関連にはそれ以上に踏み込んではいない。

ii、第一次世界大戦と一九一七年の革命をめぐって

一九一四年に、セルビアでのオーストリア皇太子暗殺事件を発端に、第一次世界大戦が勃発する。ドイツ社会民主党など第二インタナショナルの諸党がそれまでの反戦の旗を投げ捨て、「祖国擁護」をかかげて、それぞれの国の戦争勢力への協力の態度に変じるなか、レーニンを先頭とするロシアの社会民主党は、〝帝国主義戦争反対、帝国主義戦争を内乱へ！〟のスローガンをかかげて、戦争終結、平和の実現と、労働者・農民の解放のために奮闘する。そのなかで、当面する民主主義の課題でも、さらにそこから社会主義への前進の道程についても、レーニンによる注目すべき新たな解明、問題提起、理論的発展がなしとげられていく。

その一つは、民主主義の課題の拡大・発展、とりわけアジアをはじめとする植民地、被抑圧国における民族自決、民族解放闘争への注目と、その世界史的意義についての解明である。大戦に先立つ一九一一年には、孫文が指導する「中国革命同志会」による民族、民権、民主をかかげた辛亥革命がおこる。インド、インドネシア、トルコなどにも動揺が広がる。こうした動きに注目したレーニンは、一三年には「アジアの目ざめ」と題する論文で、次のように書いた。「世界資本主義と一九〇五年のロシアの運動は決定的にアジアをゆりおこした。しいたげられ、中世的停滞のなかで野生化した幾億の住民が、新しい生活に目ざめ、基本的

人権のため、民主主義の闘争に目ざめたのである。世界の先進諸国の労働者は、世界のあらゆる部分であらゆる形態をとった世界的な解放運動のこの力強い成長を関心と熱意をもって見守っている。

アジアの目ざめとヨーロッパの先進的プロレタリアートによる権力獲得闘争の開始とは、二〇世紀の初めにひらかれた世界史の新しい時代をあらわしている」（全集第一九巻、七三頁）

第一次世界大戦が植民地の再分割をめぐる争いを本質とする帝国主義戦争であり、そのような戦争のもとで被抑圧民族の自決、民族解放のたたかいの広がり、発展は必至である。また、このたたかいと連帯してこそ、発達した資本主義国での労働者階級を中心とするたたかいの勝利が確実となることもあきらかとなる。アジアの解放運動の世界史的意義についてのレーニンの認識は、その意味できわめて重要な意義をもつものといえよう。その根底には、「帝国主義とは、一にぎりの大国による世界の諸民族の抑圧が増大することである」「だから、社会民主党の綱領のなかで中心点となるのは、まさに諸民族を抑圧民族と被抑圧民族に分けることでなければならない」（全集二一、四二二）という情勢についての科学的な認識が据えられていた。それは「他民族を抑圧する民族は自分自身を解放することはできない」というマルクス、エンゲルスの民族問題にたいする基本的見地を、帝国主義と帝国主義戦争の時代にふさわしく発展させたものということができる。

レーニンは第一次世界大戦をつうじて、「祖国擁護」の名で帝国主義戦争をあたかも民族解放戦争であるかのように偽る第二インタナショナルの諸党はもとより、左派のなかにあらわれるこの問題での様々な偏向、日和見主義――たとえば帝国主義の時代には民族自決はありえないとか、当面する課題は社会主義革命であって、そのときに民族自決など「幻想」にすぎない、あるいは、本国での社会主義革命の勝利なしには被抑圧民族の自決はありえないという主張など――と粘り強くたたかいぬく。もちろん、ロシア国内における被抑圧民族の自決の権利の無条件の擁護とすべての民族の平等を一貫して主張し、そのためにたたかいぬいたことも、革命の過程で発生したスターリンらのこの問題での誤りにたいして、死力を尽くしてその克服に力をそそいだことにも明らかである。

この問題とのかかわりでとくにとりあげなければならないのは、社会主義を理由に民族自決だけでなく、民主主義的課題一般へのとりくみを放棄する議論である。ドイツ社会民主党左派のラデックや、ロシアのブハーリン、ピヤタコフらによって、革命的左派内部にもちこまれた。レーニンはこうした議論に対して、一九一五年には「革命的プロレタリアートと民族自決権」(全集第二一巻)を、一六年には「社会主義革命と民族自決権(テーゼ)」「ユニウスの小冊子について」(同二二巻)「マルクス主義の戯画と『帝国主義的経済主義』について」(同二三巻)などを書いて、徹底的に論駁している。それらのなかで、民主主義の課題と社会主義革命との関連、関係について注目に値する論を張っている。

「プロレタリアートは、民主主義をつうじるよりほかには、すなわち、民主主義を完全に実現し、自分の闘争の一歩一歩を、もっとも明確に定式化された民主主義的要求に結びつけなければ、勝利することはできない。社会主義革命および資本主義にたいする革命闘争を、民主主義の問題のうちの一つに、いまのばあいでいうと民族問題に対置することは、ばかげている。われわれは資本主義にたいする革命闘争を、共和制、民兵、人民による官吏の選挙、婦人の同権、民族自決、等々という、すべての民主主義的要求についての革命的な綱領および革命的な戦術と結合しなければならない」「社会主義革命は、一回きりの戦闘ではなく、それどころかブルジョアジーの収奪によってはじめて完成する経済的及び民主主義的改革のあらゆる問題のための多くの戦闘からなる一時代である。まさにこの終局目標のためにこそ、われわれはわれわれの民主主義的要求の一つ一つのために、一貫した革命的定式をあたえなければならないのである。ある特定の国の労働者が、根本的な民主主義的改革のただ一つも完全には実現しないうちに、ブルジョアジーを打倒することは、十分考えうることである。しかし、歴史的階級としてのプロレタリアートは、もしもっとも徹底した、革命的に断固とした民主主義の精神での教育によってその準備ができていないなら、ブルジョアジーに勝つことができるとはまったく考えられない」(全集第二一巻「革命的プロレタリアートと民族自決権」、四二一〜四二二頁)。ここには、民主主義は社会主義の前提であり、徹底した民主主義の実現なしに、社会主義の本当の意味での勝利はありえないという、当時のレーニンの確固とした思想が明確に表明されている。

ロシアで第一次世界大戦を推進したのは、帝国主義的ブルジョアジーの勢力にくわえてツァーリに代表される軍事的封建的帝国主義勢力である。帝国主義戦争に突入した情勢のもとで、ロシアではこの戦争に反対するたたかいはまず、軍事的封建的帝国主義・ツァーリの打倒、つまり民主主義革命の遂行と一体のものとしてすすめられる。しかし、たたかいは軍事的封建的異国主義の打倒にとどまるわけにはいかない。のちにロシア革命の実際の過程が証明したように、ツァーリが打倒されても、代わって成立したブルジョア政府、ケレンスキー政府は、戦争続行の立場をいささかも変えようとはしなかったからである。

革命的労働者・農民のたたかいは当然のなりゆきとして、新たに生まれたブルジョア政府の打倒に向かう。帝国主義戦争という歴史的条件のもとでのロシア革命のこの特質のゆえに、民主主義革命と社会主義の関係、関連には、それまでにない新たな様相が加わってくる。不破氏は次のようにのべる。「帝国主義戦争から抜け出すためには、ツァーリズムの打倒に続いて、ブルジョア帝国主義の打倒が必要になってくるとしたら、民主主義革命が勃発し勝利した場合にも、それをより急速に社会主義革命に発展・転化させなければならない、という実践的な結論が、いやおうなしに出てこざるを得ないからです」(『レーニンと「資本論」』第五巻、二八頁)。

レーニンは大戦の勃発以前には、資本主義の発達の遅れたロシアの歴史的条件のもとで民主主義革命と社会主義的変革の間に一定の時間的間隔を想定していた。遅れたロシアの歴史的条件のもとでは、社会主義社会をささえる根本的な支柱となる生産力の発展という点でも、社会主義社会をになう教養のある自立した人間の成長という点でも、民主主義革命を完遂する過程で、じっくりと力をつけることが必須であった。実際に、戦時共産主義の破綻からネップ(新経済政策)への転換というロシア革命がたどったその後の足どりをみても、民主主義革命から社会主義への前進には十分な慎重さと準備期間が必要であることは明らかである。この点について不破氏は、レーニンの論文「ロシアにおける資本主義の発展」の第二版への序文を紹介する。そこでは、ロシアで労働者階級と農民がめざす民主主義革命の道(アメリカ型の道)について次のようにのべられている。「プロレタリアートと農民大衆とが支配的役割を演じ、商品生産の事情のもとで一般的に可能なかぎりでの労働者と農民大衆の状態の最善の改善を伴いながら、資本主義を土台にして生産力がもっとも急速に、かつ自由に発展する線である。こうして、社会主義的改造という、労働者階級の本当の、そして根本的な任務を、これからさき労働者階級が実現するのにもっとももつごうの良い条件が、つくりだされる」(全集第三巻、一一頁)つまり、「生産力のもっとも急速な発展」を社会主義実現のためにつくりだされるべき前提条件としてあげ、それが「歴史的な一時代を必要とする過程」となることを指摘している。

ところが、帝国主義戦争という条件のもとで、この戦争からの革命的離脱がロシアの革命勢力の最大の課題となったときに、民主主義革命と社会主義革命とのこのような段階的発展についての展望は大きな変更を余儀なくされる。それがすでにのべた、民主主義革命から社会主義革命への連続的あるいは同時的接近という問題である。ロシア革命の過程で、ドイツとの戦争に勝ち抜くために、ツァーリズムの打倒が不可欠だと考える「革命家」、ケレンスキーなどの潮流、いわゆる「革命的排外主義」と呼ばれる潮流が現れ、それが政権をになうにいたり、ことがらはいっそう明確になる。つまり、ツァーリを打倒しただけでは、すなわちブルジョアジーの階級的立場を代表するこの潮流をそのままにしておいたのでは、ツァーリを打倒しても戦争からの離脱はできない、だとすれば、この一派、すなわちブルジョアジーの支配を打倒するしかない。そうすれば、これにかわるのは労働者階級の執権の確立、すなわち社会主義への前進以外にないとされた。「帝国主義戦争のもとでのロシア革命の探求は、民主主義革命から社会主義革命への連続的な移行という、以前には考えられなかった革命の新しい展望をもたらしたのです。レーニンは、のちに、一九一七年の二月革命がおこったときに、帝国主義世界戦争を、この革命の『全能の「舞台監督」、この強力な促進者』と呼びましたが（「遠方からの手紙　第一信」一九一七年三月、全集第二三巻、三二九頁）、遅れたロシアの条件のもとで、革命のこのような連続的な移行が問題になるという変化は、まさに『舞台監督』のもとではじめて必然的なものとなった巨大な変化でした」（『レーニンと「資本論」』第五巻、七四頁）。そして、ロシア革命に生まれたこの新しい特質が、その後の革命の発展にとって、ある意味で独特の困難をもたらすことになったといえよう。

iv、一九一七年の一〇月社会主義革命をめぐって

実際のロシア革命の過程では、一九一七年の二月革命で生まれた労働者・農民ソビエトが、実質的には政治的実権を手に入れながら、ブルジョアジーの側に政権をゆだねた結果、ソビエトとブルジョア政府の並立、すなわちいわゆる二重権力が生まれる。そうしたもとで、レーニンが亡命先から帰国して直ちにとりくんだのは「すべての権力をソビエトへ」という提起とそれを実現するためのたたかいである。革命後のソビエト内に広がっていたブルジョア政府への軽信、幻想を、粘り強い説得によって打ち破るたたかいが、そのための要となる。ケレンスキー政権が軍事独裁への道を歩み始める七月事件や、コルニーロフの反乱などもあって、二重権力状態から平和的に全権力をソビエトに移行させる条件がなくなり、ボリシェビキは武力蜂起によって権力を奪取するにいたる。その過程は文字どおり波乱にみちているが、ここで必要最小限にとどめる。

一九一七年一〇月、首都ペトログラードの軍事革命委員会を先頭に蜂起した労働者、農民、兵士はまたたくまにケレンスキー政府を崩壊させ、ソビエト権力の樹立に成功した。一〇月社会主義革命といわれる。レーニンは、革命の勝利直後にひらかれた「ペトログラード労働者・兵士代表ソビエトの会議」で次のように報告する。「いま、ロシア史上には、新しい時代がやってこようとしている。そして、この第三次ロシア革命は、結局、社会主義の勝利をもたらすに違いない。……ロシアで、われわれはいますぐ、プロレタリア社会主義国家の建設に従事しなければならない。世界社会主義革命万歳!」（全集二六、二四四頁〜二四五頁）当然の成り行きとして、樹立されたソビエト権力は、社会主義へとむかう。

しかし、二月革命いらいの革命がめざしてきた任務は、民主主義的講和による平和の実現、地主の土地所有の廃止、飢餓と崩壊にたいする闘争＝生産にたいする労働者の統制であり、そのためのソビエト政府の樹立である。すなわち、基本的には民主主義的任務であって、社会主義的課題ではなかったはずである。革命の基本的任務を定式化した一九一七年の四月テーゼ「わが国の革命におけるプロレタリアートの任務」では、土地の国有化や銀行と資本家のシンジケートの国有化などを提起しているが、わざわざ「土地の国有化や、すべての銀行と資本家のシンジケートの国有化、あるいは少なくともそれらにたいする労働者代表ソビエトの即時の統制実施等々のような方策は、けっして社会主義の『導入』ではないが、無条件に主張しなければならない」（全集第二四巻、五七頁）と断っている。「小農の国では、プロレタリアートの党は、住民の圧倒的多数が社会主義革命の必要を認識しないうちは、決して社会主義の『導入』を目標とすることはできない」（同、五七頁）というのが、レーニンの当時の確固とした認識であった。

ロシアの人口の圧倒的多数を占める農民が革命を支持したのは、ボリシュエビキ党がかかげた平和と土地を農民への要求に対してであった。ところが、これまでのべたような事情から、実際に生まれたのは社会主義をめざす政権であった。それは避けることのできない歴史的必然であると、当時は考えられた。しかし、資本主義の発展が極端に遅れたロシアの社会経済的条件からも、人口の多数を占める農民の遅れた政治意識からも、社会主義にすすむ道がきわめてきびしい制約のもとにあったことに変わりはない。ここにレーニンの直面した大きな困難があったのである。

不破氏は次のように指摘する。「このように、一〇月革命直後の情勢は、革命で樹立された政権（プロレタリアートの執権）は、社会主義を前進させる意思も意欲ももっているが、人民の側に形成されているのは、いわば民主主義的多数派で、社会主義への前進を支える社会主義的多数派は、ロシアの人民のあいだに現実にはまだ生まれていないという状況を、特徴としていました。社会主義的多数派に発展させることは、一〇月以後の革命課題として残されたのです」（『レーニンと「資本論」』第五巻、一二五頁）

ロシア革命が直面するその後の未曽有の困難は、外国の干渉や国内の反動派の内乱によるだけではなく、この革命に宿命づけられたこのような客観的な条件に規定されていたのである。おなじような困難は、ロシアにとどまらない。資本主義の発展が遅れた半植民地、植民地状態から出発し、革命後に社会主義をめざした中国やベトナム、あるいはソ連の強い政治的影響力が支配する歴史的条件のもとで、東欧の国々が直面した困難ともある意味で共通したものがあるのではなかろうか?

一〇月革命をめぐっては、もう一つ見逃せない問題がある。それは、ヨーロッパの先進資本主義諸国の革命とロシア革命の関係についてである。第一次世界大戦を体験する以前のロシアでは、君主制と農奴制を打倒する民主主義革命を最後まで遂行し、ヨーロッパにおける社会主義革命に火をつける、そして、ヨーロッパ先進諸国の社会主義革命が勝利して初めて、ロシアでも社会主義へと前進しうる、これがレーニンらの当初の認識であった。ところが、戦争が封建的帝国主義の打倒にとどまらず、帝国主義的資本主義そのものの打倒をもとめ、そこから民主主義革命の社会主義革命への連続的発展の現実的条件が生まれたとの判断のもとに、ロシアにおける革命勢力は社会主義革命を現実の日程にのぼせる。これと併行して、西ヨーロッパの発達した資本主義国で革命情勢がひろがり、社会主義革命がおこる、それが勝利したもとで、ロシアでも「ヨーロッパのプロレタリアートと同盟して社会主義革命を遂行する」(全集第二一巻、四三三頁)道がひらけると考えられたのである。しかし、現実にはレーニンの期待に反して、西ヨーロッパではドイツやオーストリアに革命情勢が現れはしたものの、社会主義革命の勝利という結果にはいたらなかった。イギリスにもフランスにも革命情勢は生まれなかった。そこから、遅れたロシアにおいて一国で社会主義革命の可能性を追求しなければならないという問題が生まれてくる。

Ⅴ、「記帳と統制」から戦時共産主義の時代へ

権力を握ったソビエトがまずとりくんだのは、交戦国ドイツとの単独講和、ブレスト・リトフスク条約による戦争からの離脱、平和の実現、〝土地を農民へ〟を中心とする民主主義的課題の達成とともに、「全人民的な記帳と統制」の名による社会主義への一歩を進めることであった。「記帳と統制」とは、おおまかにいえば、窮乏と飢餓がひろがる革命後の経済状況のもとで、少なくとも生活必需品についてはその生産も分配もソビエト国家の統制のもとにおき、全人民的な規模で平等な分配がおこなわれるようにすることといってよいであろう。レーニンは一〇月革命から半年後の一九一八年四月に発表した論文「ソヴェト権力の当面の任務」で次のようにのべている。「われわれは、勤労被抑圧大衆が新しい社会の自主的な建設にもっとも積極的に参加するのを可能にする、新しいソヴェト型の国家をつくりだしたが、それだけではまだ困難な任務のわずかの部分だけを解決したにすぎない。主要な困難は経済の分野にある。すなわち、物資の生産と分配とのもっとも厳格な、また普遍的な記帳と統制とを実施し、労働生産性をたかめ、実際に生産を社会化することである」（全集第二七巻、二四三頁）

国家による「記帳と統制」という考え方は、マルクスが『資本論』（第三巻）における銀行論で、「銀行制度とともに、社会的規模での生産手段の一つの一般的な記帳および分配の形態が、ただしその形態だけがあたえられるのである」として、そこに資本の私的性格の止揚への一つの契機を見出したことなどに由来するようである。同時に、直接的には、第一次世界大戦のなかで帝国主義諸国において急速に発達する国家独占資本主義、すなわち国家の関与による資本独占のもとでの生産の「社会化」の形態の発展、とりわけドイツ

における生産と分配の戦時国家統制に着目したレーニンが、ソビエト権力のもとで、労働者、農民の生活を守り、経済を発展させるためにこの「できあいの形態」を転化、運用しようとしたものと、いってよいであろう。一九一七年一〇月に発表された論文「さしせまる破局、それとどうたたかうか」で強調されているように、「飢えがせまっている」「ロシアは、避けようのない破局に脅かされている」もとで、こうした政策はさけられなかった。急を要する方策は、「国家による統制、監督、記帳、規制であり、物資の生産と分配における労働力の正しい分配、人民の力の節約、あらゆるむだづかいの除去、力の節約で」(全集第二五巻、三四八頁～三四九頁)あった。

問題は、この「記帳と統制」が、破局と飢えの切迫のもとでの避けられない非常措置にとどまらず、社会主義への移行の一歩、どうしても通らなければならない関門と位置づけられたことである。レーニンは二一年に新経済政策への転換にとりくむなかで、一〇月革命以降の経過をふりかえって「われわれは、共産主義的な生産と分配に直接移行することを決めるという誤りをおかした」(全集第三三巻、四九頁)と反省している。未曽有の困難な情勢のもとで、様々な条件が重なって社会主義をめざす権力を樹立に成功したレーニンらが、これまでだれも直面したことのない課題に挑戦しなければならなかったという事情があるにしろ、そこには社会主義への法則的発展への大道からそれたきわめて重大な錯誤があったといわなければならない。

第一にこの路線は、生産と分配の「全人民的記帳と統制」といいながら、その主要な課題は分配の統制におかれた。そのため、社会主義への第一歩と位置づけられながら、実際には、そのための最大の前提となる破壊された生産力の回復と急速な発展に力を注ぐどころか、その余裕もなかったが、事実上、農民から一方的に余剰農産物を徴発し、とりあげ、それを軍隊や都市労働者に分配することが主要な任務となった。建前上は、労働者が作り出す工業製品を見返りに供給することによって、農民の利益と農業の社会主義化への条件をつくりだすということにはなっていたが、実際にはそのようなことは不可能であった。

第二に、決定的な問題だが、分配の国家統制を社会主義への一歩とするこの路線が、市場経済の否定を内包していたことである。その結果、小商品生産者である農民の市場経済、商品経済への執着を、打破すべき農民の遅れた意識として、また資本主義を生む主要な根源として敵視し、社会主義への前進のたたかいを、社会主義の名のもとに、実質的には国家資本主義による小生産者、農民の収奪、その遅れた意識とのたたかいという構図のなかに流し込んでいくことになる。そのことによって否応なく、ソビエト権力への農民の不信、反発を広げ、労働者と農民との鋭い対立にまで事態をエスカレートさせていくことになった。一九一九年三月にひらかれた第八回党大会にむけてレーニンは、市場経済否定についてつぎのように書く。「単一の経済的全一体——ソビエト共和国はそういうものにならなければならない——を構成するもろもろの生産=消費コミューンのあいだの規則的で計画的な生産物交換を組織して、一連の漸進的な、だがたゆみない方策によって私的商業を完全になくすこと」(全集第二九巻「ロシア共産党綱領草案」、九一頁~九二頁)、「ロシア共産党は、貨幣の廃止を準備するもっとも急進的な諸方策をできるだけ急速に実行するようにつとめるであろう」(同、一一三頁)。

一九一八年の夏から二〇年にかけて、反革命勢力による内乱とイギリス、フランス、日本などによる干渉戦争のため、ソビエト政権は重大な危機に立たされるとともに、労働者、農民は想像を絶する食糧危機と飢餓に襲われる。ソビエト政権は、労働者、農民の多大な犠牲と英雄的なたたかいによってこの危機をのりきるのだが、この時期にソビエト政権が採用した経済政策は「戦時共産主義」とよばれる。革命政権の打倒をめざす内外の強大な敵と対峙しながら、都市をおそう食糧危機と飢餓とたたかい、革命戦争をたたかいぬく軍隊を組織し、維持するためには、穀物の国家専売の体制を全面的に強化し、徹底すること、つまり、余剰の穀物が闇に流れるのを抑え、農民に余剰穀物のすべてを公定価格で国家に売り渡させ、これを都市住民や軍隊に供給する以外に方策はなかった。これが「戦時共産主義」であった。

一九一八年五月ころからはじまったこの政策は、急速に強化され、体系的なものに発展し、一九年にはいると割り当て徴発制＝政府が必要とする穀物や飼料の総量をさだめて、それを県から郡へ、郡から郷へ、さらに個々の農民に割り当て、強制的に徴発する制度、体制がとられるようになる。国家権力による強権的な農村からの徴発である。しかも、これがただ一時の非常措置としてではなく、「共産主義的な分配」へすすむ直線コースと位置づけられたのだから、農民が強く反発したのは当然である。当時レーニンは、「苦しい飢餓はわれわれをいやおうなしに純共産主義的な任務に近づけた」（全集第二七巻、四四四頁）、「社会主義を平穏無事な時期に建設することができると考えるのは、ひどく誤っている。社会主義は、いたるところで経済的崩壊時期に、飢餓の時期に建設されるだろう」（同五三〇）とのべていた。政府による徴発といっても、実際には都市の労働者が部隊を組んで農村に出むいて、農民から略奪に等しいやり方で穀物を徴発する。しかも、情勢が厳しくなればなるほど、その徴発は有無を言わさず、過酷なものになり、余剰穀物どころか農民の生活に必要不可欠なものまで持ち去ることにもなった。

「戦時共産主義」は市場経済の否定をエスカレートさせ、穀物のあらゆる私的売買、すなわち商品売買を禁じるところまで拡大されていく。そして、市場経済とのたたかいが、革命の中心任務であるかのように位置づけられることになっていくのである。レーニンは、当時のこの事態を「資本を完全に打倒し商品生産を完全に絶滅するための被抑圧勤労階級の闘争が前面に現れているような歴史的時期」(全集第二九巻、三五〇頁)とまでのべている。

レーニンは、「戦時共産主義」を資本主義から社会主義への過渡期の一般的な経済的体制、あるいはプロレタリアートの執権の一般的なありかたとして、理論化する。しかし、商品経済、市場経済の廃止は、農業における生産力の抜本的発展を基礎にして、すくなくとも農民の小規模経営を共同的な大規模経営におきかえて、生産の仕組みそのものから商品経済を克服する条件をつくり出し、そのもとで商品経済への農民の執着を断ち切る努力をねばりづよくおこなうことなしに実現しないことは、かねてレーニンが繰り返し主張してきたところである。「戦時共産主義」によって商品交換の廃絶を急げば急ぐほど、農業の社会主義化へのこの基本的な原則、法則にみずから背反していくことになるのである。

「戦時共産主義」は、当然のなりゆきとしてソビエト政権と農民の矛盾、対立を決定的なところまで拡大する。ソビエト政権にたいする農民の不信と反発はとどまるところを知らず、ついに農民出身者からなる軍隊のソビエト政権にたいする反乱の勃発にまでいたる。ソビエト政権は、革命以来最大の危機に陥るのである。ことここにいたると、「戦時共産主義」路線による社会主義への移行という路線に、農民の支持はとうてい期待できないことがはっきりしてくる。

そうしたなかで、レーニンは、農民多数の支持に依拠しながらねばりづよく社会主義へすすむという農業における社会主義への移行の根本的な見地を投げ捨てて、農民の支持ではなく、政治的中立化をめざすという地点にまで後退する。それどころか、その考え方を一般化して、国民多数の支持のもとに革命を遂行するという以前にとっていた多数者革命の見地から、革命前に多数者を獲得することは不可能であり、そうした主張は幻想にすぎないという、科学的社会主義の革命論から著しく逸脱した主張を、ロシアの特殊性にとどまらない普遍的な法則として主張するにいたる。レーニンのこの立場が、『国家と革命』における民主的共和制の意義の否定、議会をつうじての革命の否定、強力革命の普遍化などとともに、その後の国際的な共産主義運動にきわめて重大な否定的影響をあたえたことは、絶対に見過ごすわけにいかない。

この路線は、一九一九年に結成されたコミンテルンに持ち込まれる。すなわち、ブルジョア議会制度の破壊と少数者革命論である。一九二〇年七月にひらかれたコミンテルン第二回大会が採択した『基本的任務についてのテーゼ』（レーニン執筆）では、資本主義の条件のもとで「勤労大衆の大多数が完全に明瞭に社会主義的意識を、しっかりした社会主義的信念や性格をつくりあげることができるかのような考えを容認することは、これまた同様な資本主義とブルジョア民主主義との美化であり、労働者にたいする同様な欺まんである」としたうえで、多数者の獲得は「このただ一つの革命的な階級全体、またはその多数者に支持されたプロレタリアートの前衛が、搾取者を打倒し、彼らを弾圧し、被搾取者をその奴隷状態から解放し、収奪された資本家の費用で被搾取者の生活条件をただちに改善したあとではじめて、激しい階級闘争の過程そのもののなかで、実現可能となるのである」（『コミンテルン資料集』①、一九七頁～一九八頁）とのべている。民主的議会制の意義や議会をつうじての革命、多数者革命を否定するこうした見地が、つづくネップの時代にレーニン自身による是正の努力があったにもかかわらず、コミンテルンにそれが生かされることなく、その後の世界の革命運動におよぼした否定的影響は計り知れないものがある。

vi、新経済政策（ネップ）への転換

「記帳と統制」から「戦時共産主義」によってソビエト政権が直面する革命後最大の危機にたいして、レーニンは路線の転換を迫られる。すなわち農民から余剰穀物すべてを徴発する政策から食料税の導入への転換（二一年初め）、そしてさらに市場経済否定からその容認へ、小生産者はもとより資本主義的企業との併存、国有企業のそれらとの競争、私的企業にたいする国家による規制と方向づけをつうじて、社会主義建設の土台となる生産力の飛躍的向上へ、という経済政策の転換である。また、文盲が農村人口の大半をしめる遅れた状態から脱して、社会主義建設をにないうる人間を育てる教育と文化の向上への努力の開始である。そして、農業の近代化、大規模化を実現できる工業生産の巨大な発展をめざして、小生産者としての農民との長期にわたる共存を射程に入れた長期的な展望のもとでの社会主義への漸進である。

一九二一年一〇月、レーニンは「一〇月革命四周年によせて」で、「戦時共産主義」の誤りについて次のように論じた。「われわれは、十分考えもせず、小農民的な国で物資の国家的生産と国家的分配とをプロレタリア国家の直接の命令によって共産主義的に組織しようと、考えていたのであった。すなわち、共産主義への移行を準備する――長年にわたる努力によって準備する――ためには、国家資本主義を経ながら社会主義に通じる堅固な橋を、まずはじめに建設するよう努力したまえ。さもなければ、諸君は共産主義に近づけないであろう。実生活はわれわれにこうかたった。革命の発展の客観的過程は、われわれにこうかたったのである」（全集第三三巻、四四頁～四五頁）

同月に開かれた第七回モスクワ県党会議でレーニンは、つぎのように発言している。「その当時には、従

来の経済を社会主義経済に適合させる準備なしに、社会主義へ直接移行することが、予想されていた。国家による生産と分配を実施すれば、それだけでわれわれは直接に、以前の制度とはちがった、生産と分配の経済制度にはいったことになるだろうと、われわれは予想していた。……われわれは、われわれの経済が市場や商業とどういう関係にあるかという問題を、全然提起しなかった」(同、七六頁)

民主主義革命として出発しながら、社会主義をめざす権力として紆余曲折をへてネップにいたるロシア革命のこうした全過程は、やはり民主主義の段階から社会主義へどうすすむか、そこでの性急さ、焦りがどんな不幸につながるかを、われわれに貴重な歴史の証として教えてくれるのではなかろうか。レーニンが、帝国主義戦争という歴史的な条件のもとで、ロシアにおける民主主義革命を社会主義的変革に直結させるという路線をおしすすめたことにこそ問題があったのではなかろうか。ブルジョア権力であったケレンスキー政府を打倒しても、民主主義革命とそこで掲げられた政綱の実現はこれからの課題であった。それらがなお未達成なままで、しかも生産力の発展が極度に遅れ、小生産者である農民が人口の圧倒的多数をしめ、社会主義を望むような意識からははるかに離れているもとで、社会主義への移行の客観的条件は存在しなかったといえるのではないか、少なくとも最大限の慎重さをともなった緻密な探求を要する課題であったのである。

戦時共産主義のあとレーニンが採用するに至った新経済政策(ネップ)は、スターリンによって投げ捨てられ、その後のソ連がたどった不幸のなかで実らなかったとはいえ、ロシア革命の中での悲惨な現実をともなった試行錯誤の結果、レーニンが到達した貴重な結論であったといえよう。民主主義革命の徹底的遂行と市場経済をつうじての社会主義の物質的条件の創出、熟成、新しい社会を担いうる人民の文化的教育的向上への不断の努力など、長期にわたる過渡期の任務のねばりづよい遂行、そこにレーニンは最大のカギをみいだしたのである。

四、現代世界の社会進歩における実践的問題として

民主主義と社会主義の関連と関係の問題の意義は、マルクスやレーニンの時代にとどまらない。例えば中国革命をめぐっても、この問題が大きな意味をもつことになる。中華人民共和国が成立したのは一九四九年一〇月一日である。その建国の理念として掲げられたのは、その前日までひらかれていた中華人民政治協商会議が採択した共同綱領であり、そこには「中国の独立・民主・平和・統一及び富強」をめざし、「人民民主主義の国家」を樹立することがうたわれていた（第一条）。人民民主主義ないし新民主主義である。そして、「労働者階級が指導し、労農同盟を基礎とし、民主的諸階級と国内の各民族を結集した人民民主独裁を実行」（同）することがかかげられ、中国共産党の指導は前提とされるが、社会主義をめざすとはどこにも書かれていなかったのである。建国当時の国家機構でも、副首相六人の内、孫文夫人の宋慶齢、民主同盟の張瀾、国民党革命委員会の李済深の三人は共産党以外の人物であった。中国革命の最高指導者であった毛沢東自身、新民主主義の体制は相当長い期間続くことを想定していた。

ところが、一九五〇年六月に始まった朝鮮戦争への参戦（同年一〇月）、一九五一年一二月からの汚職、浪費、官僚主義に反対する三反運動などをへて、五二年後半から五三年前半にかけて中国共産党が指導する政権は、社会主義化の強行に大きく舵を切った。毛沢東は、一〇年ないし一五年で社会主義化を達成する

という構想を中国共産党政治局会議に提示し、五四年二月にひらかれた中国共産党第七期第四回中央委員会は、社会主義化の強行を明記した「過渡期の総路線」を採択する。政府機構のなかでも五二年に創設された国家計画委員会が大きな権限をふるうようになる。

その背景には、朝鮮戦争を契機に急務と認識されるにいたった強大な軍事力の構築をめざして重化学工業化をいそいだこと、三反、五反運動を通じて民間企業への統制が急速に進み、社会主義化への民間企業の抵抗力が大きくそがれたこと、土地改革により大量の過小規模農家が生まれ、農業の生産力を低下させたことなどがあげられよう（久保亨著『社会主義への挑戦』〈岩波新書〉参照）。また、旧ソ連が社会主義のモデルとされたという事実もある。しかし、中国が当時、半植民地状態からやっと脱出したばかりであり、朝鮮戦争での大きな犠牲も加わって、社会主義化の最大の条件である生産力の発達がいちじるしく遅れていたばかりか、農民をはじめとして社会主義化への国民の意欲も国民的合意も存在しなかったことは明らかである。

そうしたもとでの国家権力による社会主義化の強行がどのような結果をまねいたかは、その後の大躍進、人民公社化の路線が数年をへずに惨憺たる失敗に終わった事実によって疑問の余地なく証明されている。生産が停滞し、食料も物資も不足し、農村では飢餓がひろがり、飢えや栄養失調で二〇〇〇万人以上が亡くなったというから、文字通り惨憺たる結果に終わったのである。鉄鋼の大増産のために導入された土法高炉は、人海戦術で大量の労働力を投入したにもかかわらず、使いものにならない粗悪な製品を生み出しただけであった。一〇〇〇〇人から八〇〇〇人規模の人民公社による農業経営の大規模化、共同化、共同生活化は、農民の生産意欲を減退させ、中国農業に破滅的な被害をおよぼす結果に終わった。

一九五九年七～八月にひらかれたいわゆる廬山会議（中国共産党第八期第八回中央委員会）では、早くもこの路線に対する批判的総括を迫られ、毛沢東の盟友で国防相の彭徳懐が「一種の極左的傾向」に対する自己批判をふくむ意見書を提出して、毛沢東の怒りを買って失脚するという一幕もあった。しかし、毛沢東らは大躍進路線の修正に反対し、軌道の修正は一九六〇代にまで持ちこすことになる。しかもその結果、急進路線に固執する毛沢東らと政策・路線の調整を重視する党内主流派との対立が深まり、中国はやがて毛沢東による文化大革命の発動とそれによる未曽有の破滅的な動乱へとつきすすむことになる。その路線上の根源の中心に、新民主主義をかかげて成立した革命政権が、性急に社会主義化に突進した事実があったことは疑いをいれないであろう。

中国とはおかれた歴史的条件は異なるが、第二次大戦後東欧に生まれた一連の人民民主主義国家についても、類似の問題を指摘しなければならない。東欧諸国は、自力でナチスの支配からの解放をかちとった旧ユーゴスラビアをのぞけば、いずれも大国主義、覇権主義を最大の特徴とするスターリンの政治的野心を背景にソ連軍の進攻という条件のもとに新しい国づくりがはじまる。そのさい、東ドイツをふくめどの国も、普通選挙によって社会民主主義者や農民、知識人などをふくむ複数の政党、政派からなる連合政府が組織され、ファシズムからの解放による民主主義の実現にとりくんだ。そのため、これらの国々は人民民主主義国家と呼ばれた。

ところが、いずれの国でもソ連とソ連軍の介入によって、あれこれの口実によって共産党以外の政党、政派の政権からの排除がおこなわれ、共産党一党独裁体制がつくられていく。そして、スターリンによってこれらの国々の人民民主主義政体は、「プロレタリアート執権の一形態」であるという強引な理論づけがおこなわれ、それぞれの国の実情を無視して旧ソ連型の社会主義化が力づくでおし進められる（不破著『スターリン秘史⑥』の二六章を参照）。その結果が、秘密警察と民主主義を蹂躙する強権支配であり、政権からの民心の完全な離反であった。一九九〇年代に入って、ソ連の崩壊とともにこれらの国のいずれもが解体の道をたどったことは周知のところである。ソ連の圧力と介入という条件のもとではあれ、民主主義を当面の課題とする国家が成立して、それが国民の支持も同意もないまま社会主義化、しかもソ連型のそれを採用して国づくりをすすめたら、どういう結果になるかを、歴史は証明している。

これらの国とはやや異なるが、フランス、イタリアの共産党がたどった運命も、この問題にかかわりがある。この二つの党は、一九六〇年の八一カ国共産党・労働者党会議の声明が発表されたさいにとった態度でも明らかなように、発達した資本主義国として当面する革命を社会主義革命とする立場をとり、民主主義革命を主張する日本共産党と鋭く対立した。しかし、これらの党は、その後六〇年代後半にいたって、先進民主主義なる名のもとに反独占を意味する民主的な要求を当面の実践的な課題の中心に掲げるようになる。しかし、その民主主義的な課題が、権力の奪取をともなう革命の課題なのか、それとも当面の改良の課題で、めざす革命は社会主義革命なのかはついに不明なままであった。そのため、当面の民主的な課題の実現をめざすたたかいからどのように社会主義革命へとすすむのかは、最後まで明確にされなかった。これらの党が、一九九一年のソ連の崩壊後、その骨がらみの対ソ追随ぶりが暴露され国民の信頼を一挙に失って、衰退の道をたどったことは、これも良く知られるところである。

以上のような二〇世紀の半ば以降における世界の革命史をふりかえってみても、この稿でとりくんできた民主主義と社会主義という問題が、それぞれの国の社会進歩のたたかいにとって大きな現代的意味をもつことは明らかである。それだけに、このようにみてくると、日本共産党の新しい綱領が、民主主義革命の実現を日本の社会進歩の歴史における独自の段階として明確にし、そこから次の社会主義的変革への歩みを、主権者である国民の意思と合意によってのみ、踏み出しうるとしたことの意義は改めて浮き彫りになるのではなかろうか。

日本共産党が、日本は発達した資本主義国でありながら、政治・軍事・経済のあらゆる面でアメリカ帝国主義への国家的従属状態にあるという条件のもとで、当面する革命は社会主義革命ではなく民主主義革命であるという提起をしたこと自体、科学的社会主義の革命論のうえでの画期的な理論的発展を意味した。いまは民主的政権の実現が課題とされているときだけに、民主主義革命から社会主義的変革への発展は、将来の問題である。しかし、日本における民主的変革の事業はかならずその次の段階で社会主義的変革へとすすむ。だとすれば、民主主義革命と社会主義的変革との連関という問題は、さけて通ることのできない問題である。わが党の新しい綱領における民主主義と社会主義にかかわる規定は、そうした意味で理論的にも実践的にも重要な意義をもつことを確認して、この稿を終わることにする。

二

日本国憲法を考える

カント「永遠の平和のために」と日本国憲法

一、はじめに

日本国憲法は前文で「平和のうちに生存する権利」をうたい、第九七条で、基本的人権は「人類多年の努力の成果であって、これらの権利は、過去幾多の試練に耐え、現在及び将来の国民に対し、犯すことのできない永久の権利として信託されたものである」とのべています。第九条の戦争放棄、戦力不保持は、まさにこの人類多年の努力、幾多の試練に耐えたたまものであります。ここではその一端を紹介し、九条をわれわれが日本と世界の宝として誇りこそすれ、政府が勝手に解釈を変えたり、自衛隊を書き込んで実質的に放棄したりしてはならないことについて、認識をふかめたいと思います。

二〇一二年の総選挙の結果、自民、公明党にくわえて、希望の党、維新の党をあわせて、改憲勢力が三分の二を大きく上回る議席をしめました。選挙後の安倍首相の言動がしめすように、憲法改悪の策動がこれまで以上に本格化することは必至です。制定以来七〇余年の歴史を持つ憲法をまもるたたかいは、いよいよ正念場をむかえているといわなければなりません。国会では改憲派多数といえども、比例での自民党の絶対得票率は一七%にすぎません。「読売」の調査では、国会議員のなかで改憲賛成派は八四%にのぼりますが、九条改憲に賛成はそのうち半数以下にすぎません。この一事をみても、憲法改悪、特に九条改悪阻止のわれわれのたたかいには展望があります。改憲阻止三〇〇〇万人署名が新たによびかけられています。この運動をおおきくひろげ、改憲のくわだてを断念させるために、なぜ憲法、特に九条を守らなくてはならないのか、世界史的な視点から考えてみたいとおもいます。

二、人類の歴史における第九条の思想的源流

i、イマヌエル・カント『永遠の平和のために』の提言

国際紛争解決の手段として武力の行使を禁じ、すなわち戦争を違法とし、戦力不保持を原則とする日本国憲法の考え方は、世界史的にはどのように生まれてきたのでしょうか？　私はその近代における源流の一つとして、ドイツ古典哲学の代表者のひとりであるイマヌエル・カント（一七二四～一八〇五）が一七九五年に発表した『永遠の平和のために』（岩波文庫、宇都宮芳明訳）という提言を上げたいと思います。

カントは、当時、革命のさなかにあって近隣諸国と戦火を交えていたフランスとプロイセンとの間で結ば

れた平和条約について、それが実質的には休戦協定でしかなく戦争の火種をのこすものときびしく批判して、みずからの平和条約案を提起しました。それが『永遠の平和のために』です。そこでカントは、「永遠の平和のための予備条項」と「確定条項」とにわけて、いくつかの提案をしています。

まず「予備条項」ですが、その第一にカントがあげたのが侵略や併合の禁止に加えて「常備軍の廃止」です。次のように述べています。「常備軍は、時とともに全廃されなければならない。なぜなら、常備軍はいつでも武装して出撃する準備を整えていることによって、ほかの諸国をたえず戦争の脅威にさらしているからである。常備軍が刺激となってたがいに無際限な軍備の拡大を競うようになると、それに費やされる軍事費の増大で、ついには平和の方が短期の戦争よりもいっそう重荷となり、この重荷を逃れるために、常備軍そのものが先制攻撃の原因となるのである。そのうえ、人を殺したり人に殺されたりするために雇われることは、人間がたんなる機械や道具としてほかのものの（国家の）手で使用されることを含んでいると思われるが、こうした使用は、われわれ自身の人格における人間性の権利とおよそ調和しないであろう」（岩波文庫一六頁〜一七頁）

ここには、カント特有の厳格な倫理思想とともに現代にも通じる的確な抑止力論批判を見ることができます。わたしは、カントが「常備軍の廃止」を、『永遠の平和』の「確定条項」ではなく「予備条項」にあげていること、すなわち「永遠の平和」の前提条件としてあげているところに、カントが込めた特別の思い、意味を読み取りたいとおもいます。

「永遠の平和」を保障する「確定条項」はどうでしょうか？　カントはその第一に、各国が「専制体制」ではなく「共和制」をとるべきことをあげています。理由は、「戦争をすべきかどうかを決定するために、国民の賛同が必要となる（この体制の下では、それ以外に決定の方途はないが）場合に、国民は戦争のあらゆる苦難を自分自身に背負い込む（たとえば、自分で戦う、自分自身の財産から戦費を出す、戦争が残した荒廃をやっとの思いで復旧する、こうした災厄をさらに加重にするものとして、最後になお、平和であることすら苦々しくさせるような、〔たえず新たな戦争が近づいているために〕決して完済にいたらない負債を引き受ける、など）を覚悟しなければならないから、こうした割に合わない賭け事をはじめることにきわめて慎重になるのは、当然のことなのである」（同三三頁～三四頁）からです。第二にあげるのは、「自由な諸国家の連合制度」すなわち平和のための「国家連合」ないし「国際連合」です。それは、市民的体制に類似した体制を国家間で採用することを意味し、こうした国家連合を国際法の基礎に据えるべきだというのが、カントの考え方です。今日の国連（国際連合）に連なる先見的な思想といってよいでしょう。

第三の提案は、諸国民間の友好的な往来を保障する「世界市民法」ですが、ここでカントが西欧列強によるアジア、アメリカ大陸などの征服、植民地支配に強く反対し、その一掃を主張していることに注目したいと思います。「われわれの大陸の文明化された諸国家、とくに商業活動の盛んな諸国家の非友好的な態度をこれ（諸国民の友好的な関係――引用者）と比較してみると、かれらがほかの土地や他の民族を訪問する際に（訪問することは、かれらにとって、そこを征服することと同じことを意味するが）示す不正は、恐るべき程度にまで達している」（同五一頁）と、手厳しい批判を加えています。そして、次のように論じます。「それゆえ（ヨーロッパ諸国の侵略、植民地化にたいして――引用者）、中国と日本がこれらの来訪者を試した後で、次の措置をとったのは賢明であった。すなわち、前者は、来航は許したが入国は許さず、また後者は、来航すらもヨーロッパ民族のうち一民族にすぎないオランダ人だけに許可し、しかもその際に彼らを囚人のように扱い、自国民との交際からしめだしたのである」（同五一頁〜五二頁）。以上が、『永遠の平和』のためのカントの提案ですが、それらが今日読んでもきわめて的確な先見性をしめしていることは、誰の目にも明白でしょう。

カントの提案はもちろん、当時の政治家などから学者の空論として、嘲笑の対象にされたことは言うまでもありません。そのことを予測したカントは、本書の補論のなかで自分の提案が自然の理にかなったものであることを強調し、歴史はかならず私の提案実現へと進むであろうと確信をもって予言もしております。二〇〇余年後の今日の世界で、カントの提言はどうなったか？　共和制は、ほぼ全世界に広がりました。国家連合は国際連合、欧州連合（ＥＵ）、東南アジア諸国連合（ＡＳＥＡＮ）などに実り、植民地支配は全世界で基本的に一掃されました。そして、カントが永遠の平和の前提としてあげた常備軍の廃止は、第九条二項として世界で初めて日本国憲法に条文化され、現に私たちの目の前にあります。日本国憲法はその意味で、カントの提案を世界で初めて現実のものとしたと言うことができます。

ii、二〇世紀まで国際社会を支配した戦争観―無差別戦争観

カントの提言が容易に人々に受け入れられなかったことは、今も核抑止力論が平気で大国指導者の口から語られる現実が示すように、これまでの世界史が証明しています。国際紛争解決の手段としての戦争の否認、すなわち戦争の違法化ひとつとっても、これが国際社会で認められるにはカントの提案から一〇〇年を超す長い年月が必要でした。いまから百数十年前、二〇世紀に入るまでの国際社会では、戦争は国家の正当な権利

行使であるという考えが、自明の真理として国際政治の世界を無条件で支配していました。これを無差別戦争観といいます。戦争に良いも悪いもない、どの戦争もそれぞれの国家の固有の権利であるというわけです。

一八九九年にハーグ陸戦条約がむすばれます。これは画期的なことでした。人道的見地から、戦争のさいに、非戦闘員を殺してはならない、捕虜を虐待してはならない、戦病者は敵味方区別なく介護・治療すべきことなどが定められました。しかしこれは、戦争をおこなうことは国家の正当な権利だということを大前提にして、そのうえで実際戦争が起こった際に、それによる被害を少しでもやわらげようというものにほかなりませんでした。戦争の違法化、反戦・平和の思想は、こうした国際社会のなかで先駆的な人々の大変な勇気と献身、自己犠牲なくして、人々の中に受け入れられひろがることはあり得ませんでした。

カントの提言を現実のものとする実際の努力、歩みはどのように行われたのか、それはまさに「人類多年の努力」と「幾多の試練」を乗り越えたものにほかなりませんでした。本稿では、一九世紀後半いらいにしぼってそうしたとりくみの一端を、三つの角度からごくかいつまんでみてみることにします。ひとつは人道主義の流れ、二つ目は、労働運動、社会主義運動の流れ、三つめは国際政治の流れです。

三、平和の思想と運動——その一、人道主義の流れ

ここではその一端として、ふたりの人物、いずれもオーストリア人を紹介します。一人は、ベルタ・フォン・ズットナー（一八四三年〜一九一四年）です。『武器を捨てよ』（ズットナー研究会訳上下、新日本出版

社）という小説を書いた人で、オーストリアの貴族出身で、女性として最初のノーベル平和賞を受賞（一九〇五年）した方です。女性としての戦争体験から勇気をもって反戦運動に身を投じ、その体験をもとに作品を書き、終生平和運動に身を捧げました。

一九世紀後半のヨーロッパでは戦火が絶えませんでした。当時、ヨーロッパの中心的な大国であったオーストリアでは、貴族の男性は成人したら軍務に就くのが当然で、戦死は最高の名誉とされていました。小説では、主人公のマルタは二〇歳で結婚すると、夫はすぐ軍務につき、イタリア独立戦争に将校として参戦してあっという間に戦死します。生まれたばかりのこどもを抱えて、若くして未亡人になったマルタは、生活のためこどもを預けて住み込み家庭教師になって働きます。そしてやがて再婚しますが、二人目の夫も戦争（シュレービス・ホルシュタイン戦争、普墺戦争）で軍務につきます。前夫のこともあり、夫の安否が不安でいたたまれず、じっとしておれなくなったズットナーは、知人が軍医として出征するのに看護師として付き添って戦場へむかいます。そこで、死体が折り重なり、瀕死の重傷を負った兵士たちがうめきのたうちまわるなど、想像を絶する悲惨な実態を直接目撃します。その結果、当時の一般常識に逆らって戦争を忌むものと断ずるにいたり、反戦を決意し、反戦運動に身を投じ、生涯を捧げることになります。当然のように、彼女には社会的非難と偏見が集中し、作品を書いても出版できないなど今では考えられないような困難に直面します。しかし、それらの圧力と妨害に抗して〝武器を捨てよ！〟の声を上げ続け、たたかいぬくのです。

ズットナーは一時、ノーベル賞を創設したスウェーデンのアルフレッド・ノーベルの事務所で働いていたことがありました。それが機縁で生涯ノーベルと親交をむすび、ノーベル平和賞の創設にも貢献しています。そして、ノーベルの死後、世界で最初のノーベル平和賞の受賞者となるのです。戦争によって最大の犠牲を強いられるのは女性です。その立場から、社会的偏見と非難、圧迫に抗して、戦争反対の主張と運動が始まったことに注目したいと思います。

もうひとり紹介したいのは、「ヨーロッパ合衆国」の提唱者で、「ＥＵの父」と呼ばれるリヒャルト・グーテンホーフ・カレルギー（一八九四年〜一九七二年）です。ズットナーと同じオーストリアの貴族で、国際政治活動家です。第一次世界大戦の悲惨な経験をへて、国家間の対立、いがみ合いから戦争が起こる、国家連合をつくることで戦争を防ごうと、一九二三年の論文で「ヨーロッパ合衆国」を提唱します。当時、フランスの首相が賛同をするなど一時、有力な政治的な流れにもなりますが、ナチスの台頭で、弾圧、迫害され、提唱者はアメリカに亡命します。カレルギーは、戦後も活躍、一九六七年来日し、天皇、皇太子と会見しています。

実は、この人は青山栄次郎という日本名をもち、東京で産まれているのです。母が日本人、青山光子です。父、ハインリヒ・グーテンホーフは明治初期のオーストリア駐日大使で、骨とう品店を営んでいた青山家の娘、光子と出会い、見染めて結婚を申し込み、おそらく明治期最初といえる国際結婚をとげるのです。青山光子は、夫とともに単身ヨーロッパへ赴き、オーストリアの貴族社会にはいり、言葉も通じないなかで並大抵でない苦労、努力をして、家庭を築き七人の子育てをします。ちなみに青山光子については、松本清張が小説「暗い血の旋舞」でえがき、一九七〇年代にテレビドラマにもなっています。

「ヨーロッパ合衆国」の提唱には、カレルギー自身の生い立ちがその背景にあるとみて間違いないでしょう。両親が国境を超えた結婚をして、母が日本人という、人種も文化もまったく違う人間同士の親密なつながりのなかで育ったことが、ヨーロッパ合衆国という発想を生む少なくとも一つの契機になったことは、明白です。もちろん、欧米帝国主義列強による植民地支配が世界の大勢になっていた当時の国際社会のなかで、「ヨーロッパ合衆国」なる構想が結果として帝国主義同盟という性格をまぬかれないとの批判はありうることです。ロシア革命の指導者レーニンに「ヨーロッパ合衆国のスローガンについて」という論文があり、時期的には少し前になりますが、そうした批判をしていたと記憶します。そういうことがあるにしても、カレルギーの主観的な意図が国際平和の促進にあったことは間違いありません。そして、今日、その構想は、EUにとどまらず、ASEAN（東南アジア諸国連合）、中南米共同体などに、われわれが唱える北東アジア平和協力機構の構想ともつながっていきます。

以上は、わたしが近年興味をもって学んだんなかから取り上げてみたほんの一例にすぎません。政治的立場の違いを超えて、こうした人々の多年の努力と試練が、平和をめぐる今日の到達点の背景に存在することを確認したいと思います。

四、平和の思想と運動――その二、労働運動、社会主義運動の流れ

i、第一次世界大戦と第二インタナショナルの崩壊

もうひとつの流れは、労働運動、社会主義運動です。

一八六四年、国際労働者協会（第一インタナショナル）が創立されます。マルクス、エンゲルスの指導に

よるもので、〝万国の労働者団結せよ！〟のスローガンのもとにヨーロッパの労働運動、社会主義運動が初めて創設した国際組織です。創立宣言はマルクスが起草しました。初期の労働運動、社会主義運動の発展とともに、ポーランド、アイルランドの独立運動にも貢献しました。創立宣言では、平和な国家関係をめざして「私人の関係を規制すべき道徳と正義の単純な法則を諸国民の交際の至高の準則」へと提唱しました。私人間の問題が話し合いで解決されるように、国家間の紛争も話し合いでという趣旨で、労働運動、社会主義運動のサイドからの平和な国際関係への最初の提言です。労働者階級の立場からとりくまれたこの運動の流れは、反戦平和のたたかいでも大きな国際的影響力を持つようになっていきます。

第一インタナショナル自体は、一八七一年のパリ・コミュンが反動勢力によって血の弾圧をうけ、これを機にヨーロッパじゅうを反共宣伝の嵐が吹き荒れ、組織の内部では無政府主義者・バクーニンらの内部かく乱もあって、七六年には解散を余儀なくされます。その後、労働運動は一時後退をつづけます。

しかし、各国での産業革命の進展とともに一九世紀末になると、近代的労働者が大量に形成され、それらを基盤に労働運動が新たに台頭し、労働者政党、社会主義政党が続々と生まれます。一八七五年、ドイツ社会民主党、八三年、ロシア、プレハーノフらの労働解放団、八九年フランス社会党などです。これらの諸党があつまって一八八九年に、第二インタナショナルという国際組織を結成します。これが反戦平和の旗を高らかにかかげます。一九〇四年のアムステルダム大会で、日露戦争のさなか、交戦国のロシアの代表プレハーノフと日本代表の片山潜が壇上で固い握手をかわし、満場の拍手をうけ、国際的に大きな反響をよんだのは、その一例です。

資本主義が独占資本主義の段階を迎え、植民地再分割をめぐる争いで帝国主義国間の矛盾が激化して、大規模な帝国主義戦争が勃発する危険が迫ってきます。戦争の足音がひびくなかで、第二インタナショナルは、ドイツのシュトゥットガルト大会（一九〇七年）、スイスのバーゼル大会（一九一二年）で、反戦・平和の宣言を採択して、万国の労働者が国境を越えて団結して戦争に反対してをたたかいぬく決意を世界に向けてアピールしました。シュトゥットガルト宣言では次のように述べています。「この理由（戦争は資本主義の本質の一部だ――引用者）から、兵隊のほとんどを構成し、最も多くの物質的な犠牲をなしている労働者は、戦争に自然に反対する者です。戦争は、労働者の最も重要目的つまり社会主義の基礎の上に経済的秩序を創り、全ての国民に連帯をもたらすことと相要れません。ゆえに、本大会は、陸海軍の軍備とその権力（陸海軍の軍備と権力はブルジョア社会の階級的な本質と国民的な反目を維持するという動機を特徴としている）とたたかい、およびそれらの軍備のための手段を拒否することを、労働者階級の義務、また特に議会の代表者の義務だとみなします。さまざまな国民、および社会主義者（階級意識が発達している）が友情の精神を持ち、労働者階級の若者たちの教育のために尽くすことは、労働者の義務です」第一次世界大戦が迫る一九一二年のバーゼル宣言も、ほぼ同趣旨の内容を再度確認しました。戦争の回避、国際平和の維持は、労働者階級のたたかいにおおきくかかっていました。

ところが、第一次世界大戦の勃発と同時に想像もできない事態が発生します。当時最も大きな勢力を誇り主導的役割を担っていたドイツの党が、政府提案の戦争遂行のための戦時国債に賛成投票をしたのです。そして、これがきっかけになって各国の党が雪崩を打って、それぞれ「祖国擁護」の旗をかかげ、自国の戦争に協力・加担するにいたります。世界大戦を前にして、第二インタナショナルがあっという間に事実上崩壊してしまったのです。反戦の立場を堅持したのは政党ではロシアのボリシェビキ党だけでした。ボリシエビキの指導者レーニンは、「第二インナショナルの崩壊」などの論文で第二インターの裏切りを厳しく批判します。ロシアの党は、「帝国主義戦争を内乱へ」のスローガンをかかげて労働者、農民の支持を広げ、一九一七年にはロシア革命を勝利へと導きます。そして、「平和の布告」を発表して、交戦国のドイツと講和条約を結び、戦争の終結、諸民族の自決の承認へとすすみます。このことによって、史上初めて樹立されたロシアの労働者農民政府が、世界の平和と社会進歩、とりわけ民族独立のたたかいへ大きな貢献をしたことは、その後のスターリン独裁によるとんでもない変質にもかかわらず、否定することのできない事実です。

ii、反戦・平和の立場と思想をつらぬくことがどんなにむずかしかったか

労働運動、社会主義運動という思想的バックボーンをもった諸党の歴史的な裏切りは何を意味するでしょうか？　当時のドイツをはじめとする各国の労働者党が、その内部に労働者階級の立場とは相容れない異質の思想をもつ人たちを抱えるという弱点をもっていたことも事実です。同時に、いざ戦争となったとき、国を挙げての戦争への熱狂、マスコミ総動員での戦争賛美、国家による総動員体制などのなかで、反戦・平和の立場、思想をつらぬくことがどんなに困難で、不屈の意志を要したかを、第二インターの崩壊の史実はしめしています。

その象徴的な事例を、この時代を描いたフランスの作家、マルタン・デュガール『チボー家の人々』の主人公、ジャックの悲劇にみることができます。ブルジョアの裕福な家庭にそだつが正義感と感受性の強いジャックは、その社会になじめずに、屈折した心情をもって成長し、やがて第二インターの反戦・平和運動に

参加するようになります。しかし、労働運動・社会主義運動の大勢が戦争協力へとなだれをうって転落していくなかで、ジャックは孤立し、追い詰められ絶望的な心境になっていきます。最後に決断したのが飛行機をチャーターして自分で操縦し、戦場の上空から反戦ビラを撒くという単独行です。そして、不幸なことに飛行機が墜落して、ジャックは二〇歳そこそこの生涯を閉じます。反戦・平和のたたかいが直面し、乗り越えなければならなかった試練を、作者はジャックの死によって語っていると、私は読み込んでいます。

日本ではどうだったでしょうか？　わが国のばあい、第一次大戦に参戦もしますが、当時は大逆事件後の冬の時代で、反戦平和の声をあげることもままならない状況にありました。一九一七年のロシア革命も一つのきっかけとなって、一九二〇年代には労働運動、無産者運動が台頭し、二二年には日本共産党が非合法のもとで結成され、この党を中心に反戦・平和、朝鮮・中国の植民地化反対のたたかいが繰り広げられますが、天皇制権力による残虐でむごたらしい弾圧によって、三〇年代には日本共産党の中央組織は壊滅させられます。

一九三一年の「満州事変」に始まる天皇制権力による中国への侵略の拡大は、やがて対米開戦、アジア・太平洋戦争へと突き進んでいきます。そして、日本共産党以外のすべての政党が解散して、大政翼賛会に合流し、知識人、文化人もあげて戦争協力に走ります。生命をかけて、あるいは長期の獄中生活に耐えて反戦・平和、主権在民の旗を守り抜いた数少ない日本共産党員の不屈のたたかいはありましたが、反戦・平和の声は徹底的に踏みにじられたというのが、実相です。その意味で、日本の戦前の歴史こそ、乗り越えなければならなかった「幾多の試練」の最たる実例と言ってよいのではないでしょうか。

ただ、わたしが強調したいのは、そうしたなかでも、戦争に協力した人々を一律に見てはいけないという事です。戦争に積極的に協力しながら、その体験を通じて矛盾を感じ、戦争に批判的になり、反省もしその体験を生かして戦後の平和動動に積極的に参加し、運動の推進力になるなどの事例が少なくないからです。ここでは、平塚らいてふ、林芙美子のふたりにしぼってみてみましょう。

平塚らいてふは、もともと平和が彼女の社会的活動の原点でしたが、太平洋戦争をまえに戦争協力の立場を明確にし、のちのちまで戦争協力者として批判をあびることにもなります。それはそれで事実なのですが、戦争中の彼女の動静をみると、一九四二年に長野に疎開して以降は完全に沈黙をまもっています。そこに、戦争への認識の変化、戦争協力へのらいてふみずからの反省が込められていました。らいてふが、戦後の平和運動の先頭に立ち、新日本婦人の会の創設者の一人になるなど、女性運動の分野でも大きな功績を残したことはよく知られています。

林芙美子さんの場合は、戦時中、従軍作家として、中国戦線や東南アジア戦線で華々しく活躍します。しかし、やはりある時期から一転して、沈黙へむかいます。この事実に注目した劇作家の井上ひさしさんが「太鼓たたいて」という戯曲で取り上げ、作家の桐野夏生さんが「なにかある」という作品で、いったいなにがあったのかを追跡していますから、ご覧になったり、読まれたりした方もいるかもしれません。桐野さんによれば、インドネシアに派遣された林さんが現地で目撃し体験した日本軍の実態こそ、彼女の戦争観、日本軍に対する見方を決定的に変えたといいます。彼女が戦後書いた「浮雲」という作品では、戦時中、東南アジアへ政府行政官として派遣され、現地の特権階級の一人として豪華な生活と恋愛を満喫した主人公とその愛人が、敗戦後の荒廃した日本に帰り、悲惨な最期をとげるというストーリーです。その顛末には、戦争熱に浮かされた林自身の反省を込めた悔恨がそこに語られていると読めます。

戦争に協力した人たちもさまざまで、みずからの体験を通じて戦争を直視し、自分の態度を改め、そのことを公言はしなかったけれども、戦後の生き方に生かし、あるいは戦後の活動の力にしていった人たちが少なくなかったこと、そしてそれらが戦後の平和のたたかい、日本国憲法の平和条項を守るたたかいの力になっていったことを、けっして過小評価したくないとおもいます。

五、国際政治の流れ――平和の思想と運動、その三

i、戦争の様変わり、国際紛争の平和的解決へ、国際連盟設立

第一次世界大戦は戦争の様相を一変させます。戦争は、参戦国の国をあげての総力戦となります。機関銃や戦車から航空機まで、近代兵器による大量破壊、大量殺りくへと戦争は一変します。非人道的な毒ガスまで使用され、悲惨な犠牲者を生みだします。大戦をつうじての戦死者は、軍人一〇〇〇万人、民間人九〇〇万人にのぼりました。もはや、いかなる戦争も国家の正当な権利といってすますわけにいかないことが誰の目にも明らかになります。その反省から国際政治の場では、一九二〇年に国際連盟が創立されます。

国際連盟は、国際紛争の平和的解決をめざす史上最初の国際平和機構ということができます。連盟規約は、戦争に訴えずに国家間の関係を維持することをうたい、第九条で軍備縮小、第一一条で、「平和を擁護するため適当かつ友好と認むる措置」をとること、「事変発生したるときは、……連盟理事会をひらく」こと、

第一六条で、連盟の勧告への違約国にたいして「経済制裁の措置」をとることをさだめました。

ただし事変がおこったばあい、まず理事会をひらき、調査団を結成し、調査団が紛争の「調査報告」を作成し、これが全会一致で承認されて初めて、紛争解決にのりだせるとされていたために、緊急事態に有効に対応できにくいという組織的な欠陥をかかえていました。また、「もっぱら当事国の管轄に属する事項」は除外する（一五条）として、植民地保有国と植民地との間での紛争などは対象にしないなど、規約上の致命的な欠陥もありました。そのうえ、アメリカ合衆国が参加しなかったこともあって、有効な機能を発揮できませんでした。日本がひきおこした「満州事変」では、リットン調査団が結成され、現地を訪れ報告書を作成し、これが理事会で採択されましたが、一九三三年、日本が連盟を脱退、続いてドイツも脱退して、組織そのものが事実上消滅してしまいます。

ii、戦争の違法化＝パリ不戦条約

国際連盟の不備を補うため、一九二八年にパリ不戦条約が結ばれます。戦争を違法と明確に宣言したのは、歴史上この条約が初めてです。条約第一条は、「締約国は、国際紛争解決のため、戦争に訴えないこととし、かつ、その相互間において、国家の政策の手段としての戦争を放棄することを、その各国の人民の名において厳粛に宣言する」とうたっています。第二条には、「締約国は、相互間に起こる一切の紛争又は紛議は、その性質又は起因がどのようなものであっても、平和的手段以外にその処理または解決を求めないことを約束する」とあります。戦争の放棄、武力による紛争解決の禁止です。これによって戦争が違法と宣言された

ことは明白です。一九三一年の日本による中国東北部へ侵略戦争を、日本政府が「満州事変」といい、三六年の盧溝橋事件による中国への全面侵略を「志那事変」といって、いずれも「戦争」ということばを避けたのは、この条約によって戦争行為は、国際法上違法とされたからです。

しかし、この条約にも重大な欠陥がありました。「自衛戦争」を口実にこの条約からの適用除外が許されるとともに、自国と特別の利害関係にある地域、国には適用しないとして、本国と植民地などとの紛争は適用除外されたことです。大国のエゴイズム、植民地主義が障害になったことはあきらかです。この条約が成立したにもかかわらず、第二次世界大戦にいたる戦争を回避することができなかった歴史は、この条約の無力を事実で物語っています。

なお、この条約の批准にあたって、日本は条件を付けました。条約がこの条約を「人民の名において」定めるとしているのは認めがたい。日本は、主権が国民ではなく天皇にあるから、天皇の名において批准するというわけです。

六、第二次世界大戦、国際連合とその限界を克服するとりくみ

i、第二次世界大戦と国際連合の創立

時代は、ナチスや日本の軍国主義勢力の台頭によって、第二次世界大戦へとつきすすんでいきます。第一

次世界大戦の教訓もあって、ヨーロッパでは反ファッショ統一戦線が結成され、大戦中もナチスに対するレジスタンスが展開されます。日本では、大政翼賛会や産業報国会に国民が組み込まれ、アジア・太平洋戦争によってアジア諸国民に多大な苦難と被害を強いるとともに、多くの国民が犠牲になりました。残念ながら、組織だった反戦運動は姿を消します。第二次世界大戦は一九四五年の日本の敗北で終わりますが、この戦争による犠牲者は、五〇〇〇~八〇〇〇万人といわれます。二度に渡る世界大戦の惨禍を経験して、ふたたびこのような戦争を繰り返してはならないことが国際社会の共通の認識になっていきます。その結果、日本がポツダム宣言を受け入れる二ヶ月前の一九四五年六月、戦争の防止と国際紛争の平和的解決のための国際機構、国際連合の設立をめざして国連憲章が発表され、一〇月に正式に発足します。

「国連憲章」は前文で、「われら一生のうちに二度まで言語に絶する悲哀を人類に与えた戦争の惨害から将来の世代を救い、基本的人権と人間の尊厳及び価値と男女及び大小国の同権とに関する信念を改めて確認し、……ここに国際連合という国際機構を設ける」と宣言します。そして憲章第一条で、国連の目的として「国際の平和及び安全を維持すること。そのために、平和に対する脅威の防止及び除去と侵略行為その他の平和の破壊の鎮圧とのため有効な集団的処置をとること」をあげます。第二条で「すべての加盟国は、その国際紛争を平和的手段によって国際の平和及び安全並びに正義を危うくしないように解決しなければならない」とし、さらに、勧告など安全保障理事会のとった措置に従わない場合には、必要なら実効ある制裁措置、最終的には、国連軍による軍事的解決をはかることもありうるとしています(第四二条)。

注目したいのは、この段階では国際紛争の平和的解決をいいながらも、なお必要な場合に軍事力の行使は容認されていることです。日本国憲法第九条が戦力の不保持にまでふみいったのは、国際連合からさらに一歩前へ進んだことを意味します。国連憲章発表後の八月六日に広島、九日に長崎へ原爆が投下されます。その惨禍があまりにも大きかった事実が、日本国憲法第九条にこのような規定を盛り込む決定的な契機になったことは間違いありません。ここにおいて、カントの提唱がはじめて現実のものになったのです。

なお、日本国憲法制定のさい、いわゆる「芦田条項」なるもの、すなわち国際紛争解決の手段としての武力行使放棄をうたった第九条第一項につづいて戦力不保持をうたう第二項の冒頭に、「前項の目的を達するため」という一語を挿入し、急迫不正の侵略に対する自衛は「前項の目的」に該当しないとされ、自衛のためとして自衛隊が創設され、自衛力である自衛隊は軍隊ではないとされてきたことは、よく知られているところです。

ii、国連の三つの制約とその克服の努力

国際連合はその創設のいきさつなどから、三つの重大な欠陥をまぬかれませんでした。一つは、安全保障理事会の常任理事国（米英仏ソ中）に拒否権をあたえたことです。そのため、これらの一国でも拒否権を行使すれば、安保理は機能が麻痺してしまうのです。米ソ対立の冷戦時代に、ベトナム戦争などで国連がまったく機能しなかったのはそのためでした。発展途上国の多くが加盟国となり、総会決議にこれらの国々の主張が反映され、大国の横暴に歯止めがかかるようにはなりましたが、この欠陥はいまも改まってはいません。

第二は、アメリカの強い要求でもうけられた第五一条、集団的自衛権の容認です。第二次大戦後、植民地からの解放をめざすたたかいをふくめて数多くの国際紛争がおこり、そのたびにアメリカ主導による不当な軍

事介入が繰り返されてきました。そのほとんどがこの条項を口実にしておこなわれました。集団的自衛権は、ベトナム戦争や東欧へのソ連の軍事干渉など、大国による他国への干渉、介入の最大のよりどころとされてきたのです。

安倍政権が憲法の一方的な拡大解釈によって自衛隊に集団的自利権を容認し、海外派兵、戦争加担への道を開いたのも、この国連憲章第五一条を前提にしてのことです。

第二次大戦後、アジア、アフリカなどの諸民族が民族解放のたたかいにたちあがり、独立をかちとりました。その結果、新興独立国が国連の大勢を占めるにいたります。そうした事態を反映して、一九八〇年代以降に国連に一定の変化が生まれます。国連総会が、アメリカ等による軍事介入、武力行使を断罪する決議を相次いで採択するにいたるのです。一九七九年には、ソ連のアフガニスタンへの侵攻を、一九八三年には、グレナダ侵攻、八六年にはリビア攻撃、八九年にはパナマへの侵攻と、いずれもアメリカの軍事介入を断罪する決議を採択します。二〇〇三年には、アメリカによるイラク侵攻にたいして、国連は最後まで不同意をつらぬきました。近年では毎年の総会で核兵器廃絶を決議し、二〇一七年七月、ついに核兵器禁止条約を一二二ヵ国の圧倒的多数の賛成で採択するにいたりました。

軍事同盟でなく国連中心の国際平和秩序をつくる条件と機運がかつてなく高まりひろがってきています。この方向こそ世界の大勢であり、日本はそうした方向への国際社会のいっそうの前進のためにこそ、憲法九条を生かす平和外交でイニシアティブを発揮すべきです。

第三に、国連が創設当時、植民地主義、植民地支配にたいする反省をまったく欠如させていた問題です。国連創設の中心になったアメリカ、イギリス、フランスなどがいずれも植民地保有国であったことが、その決定的な要因といえましょう。

すでにふれたように、第二次大戦をはさんでアジア、アフリカなどの多くの諸民族が民族の独立を求めてたたかい、終戦後、インド、フィリピン、ビルマ、インドネシア、中国、朝鮮などが相次いで独立します。奔流のような民族独立の流れのなかで、一九五五年、インドネシアのバンドンで、新興国の国際会議が開かれます。アジア・アフリカ会議（バンドン会議）です。非同盟諸国運動の出発点となった会議です。二九ヶ国が参加し、「植民地主義のあらゆるあらわれはすみやかに終結されるべきである」と宣言し、「自決権はすべての民族によって享受」されるべきだと高らかにうたいます。

一九六〇年はアフリカの年といわれます。ガーナ、カメルーン、モーリタニアなど、植民地支配に苦しんできたアフリカの一七ヶ国がいっせいに独立します。同年の国連総会は、「植民地独立付与に関する宣言」を発表し、「いかなる形式及び表現を問わず、植民地主義を無条件かつ速やかに集結せしむる必要があることを厳粛に表明」しました。こうして、全世界で植民地主義を一掃するとりくみがすすみ、新たに独立をかちとった新興国が国連でも多数を占めるようになります。ベトナム人民が長期の戦いの末、一九七五年、アメリカに対して最終的に勝利したのは、そうした歴史の流れの一つの頂点ともいってよいでしょう。

二〇〇一年には、国連の主催で、人種主義・人種差別に反対する世界会議が開かれ、「ダーバン宣言」が発表されます。宣言は、奴隷制や奴隷貿易をふくめて植民地主義を過去に遡って批判し、反省する必要を強調し、「この制度と蛮行の影響の存続が、今日の世界各地における社会的経済的不平等を続けさせる主な要因であることは遺憾である」と指摘しました。二一世紀の世界では、この宣言の立場にたって過去に遡って植民地主義、植民地支配に対して旧宗主国が公に反省と謝罪をおこなうことが、国際的な趨勢となっていきます。イタリアがリビアに謝罪（二〇〇八年）、オランダがインドネシアに謝罪（二〇〇八年）などは、その一例です。

以上、国際政治の分野でも、平和と真の独立をめざし、戦争を違法として国際社会からしめだす努力が、植民地主義を反省し、世界から一掃するための諸国民、諸国家のとりくみとともに、幾多の困難を克服して実を結びつつあります。その貴重な到達点をしめしているのが、国連憲章や戦力不保持にまで踏み込んだ日本国憲法です。国連を中心とした平和な国際秩序をつくりあげることこそ、今日の国際社会の課題であり、日本が憲法九条を生かしてそのためにリーダーシップを発揮することこそ求められています。この九条を一方的に拡大解釈して、アメリカの戦争に武力をもって協力しようという戦争法を廃止すること、九条を死文化する安倍改憲をはばむことは、その第一歩であり、世界の歩みと国際社会に対する日本の崇高な責務であるといわなければなりません。そのことを強調して私の話を終わらせていただきます。（二〇一七年に町田中央地域九条の会でおこなった講演に補筆）

尊皇、皇国、「国体」考

一、はじめに

安倍元首相ら今日の自民党を支配するきわだった思想的特質の一つとして、復古的な国家主義をあげることができる。たとえば二〇一二年に発表された自民党の改憲案「日本国憲法改正草案」が、新憲法の前文に「天皇を戴く国家」をうたい、「良き伝統と我々の国家を末永く子孫に継承するために、この憲法を制定する」としているのは、そのことを端的に示している。自民党の幹部が名をつらねる極右団体、日本会議の関係者が中心に座る新憲法制定促進委員会（準備会）が二〇〇七年に発表した「新憲法大綱案」には、新憲法の前文に「大日本帝国憲法、日本国憲法の歴史的意義をふまえつつ」と明記するとともに、新憲法に盛り込む要素として、「日本国民が大切に守り伝えてきた伝統的な価値観など、日本国の特性すなわち国柄（国体のこと――筆者）を明らかにする」「日本国という歴史的共同体の始まりから連綿として続く世界に比類なき皇統を誇り、常に国民とともにあり続けてきた天皇が、その伝統に基づいて、過去・現在・未来にわたり日本国統合の象徴であることを明記する」と、のべている。

さらに、日本会議の設立宣言をみれば、「明治維新にはじまるアジア最初の近代国家の建設は、この国風の輝かしい精華（国体の精華と読める――筆者）であった」「有史以来未曾有の敗戦に再会するも、天皇を国民統合の中心と仰ぐ国柄はいささかも揺らぐことなく、焦土と虚脱感の中から立ち上がった国民の営々たる努力によって、経済大国と言われるまでに発展した」と述べている。日本会議の基本方針は、「一二五代という悠久の歴史を重ねられる連綿とした皇室のご存在は、世界に類例をみないわが国の誇るべき宝というべきでしょう。私たち日本人は、皇室を中心に民族の一体感をいだき国づくりにいそしんできました」とある。

安倍氏や自民党の閣僚、議員の多くには、このような観念が深く根づいている。しかし、こうした思想が、戦前まで日本国民を精神的に支配してきた「国体」観念の形を変えた復活であることは議論の余地がない。「国体」を「国柄」とか「国風」と言い換えただけである。では戦前の「国体」とはなにか。皇国史観ともいわれてきた。日本は天壌無窮の神勅によって、万世一系の天皇が統治する国であり、国民は臣民として天皇に無条件で奉仕するのが使命である。このような国のあり方は世界じゅうを見渡しても日本以外になく、日本は世界に誇るべき国であり、日本こそ世界を指導する立場にある、といった意味が込められていた。一九三七年に文部省が「国体」についてまとめ全国の学校での指導書とした『国体の本義』には、「大日本帝国は、万世一系の天皇皇祖の神勅を奉じて永遠にこれを統治し給ふ。これ、我が万古不易の国体である」とあり、さらに「即ち今日我が国民の思想の相克、生活の動揺、文化の混乱は、我等国民がよく西洋思想の本質を徹見すると共に、真に我が国体の本義を体得することによってのみ解決せられる。而して、このことは、独り我が国のためのみならず、今や個人主義の行き詰まりに於てその打開に苦しむ世界人類のためでなければならぬ。ここに我等の重大なる世界史的使命がある」とのべる。

このような神がかり的な「国体」観念がいまから七〇年前まで日本を支配し、過酷な人権抑圧のもとに無謀な侵略戦争と植民地支配に国民を駆り立てる精神的支柱とされてきた。それは、敗戦と新しい憲法の制定によって否定されたはずであった。ところが、「国体」論は、ある意味で投げ捨てられただけで、本当の意味で克服されては来なかった。そして二〇世紀の終りから二一世紀の今日にかけて安部氏らのもとで形を変えて「国柄」とか「国風」の名で息を吹き返してきたのである。それは、日本がおこなった侵略戦争にたいして、きちんとした事実認識と総括を怠ってきた人たちのなかに、戦争美化、正当化が生き続けてきたのと対応する。

ちなみに、七〇年前に日本がポツダム宣言を受け入れる際に、昭和天皇を始め当時の支配層がなによりもこだわったのが「国体の護持」だったことはよく知られている。また新憲法制定にあたっての国会の論戦で、吉田茂首相をはじめ政府側が最後までゆずらなかったのが、新憲法によって「国体」は変わらないと言う見解であった。新憲法制定にあたって担当大臣だった金森徳次郎が、「水は流れても川は流れない」との迷弁で「国体」は護持されると言いはったのも有名な話である。こういう見地が否定されずに今日に生きていると言って良いであろう。

そこで、改めて「国体」論、皇国史観をきちんととらえなおし、それがはたしてきた歴史的役割を正確に認識する必要があるのではなかろうか。そうしてこそ、安倍氏らの反動的国家主義を本当の意味で批判しつくすことができるのではなかろうか。その作業を私なりに行ってみようというのが、本論の趣旨である。

そもそも、皇国史観が戦前の一定の期間、国民の心をとらえることができたのはなぜか?権力による強制があったことは事実だが、それだけで説明がつくされるだろうか?そんな疑問も、解くべき課題のひとつである。歴史学者の尾藤正英氏が『日本の国家主義——「国体」思想の形成』(岩波書店)で、皇国史観にたいしてその歴史的事実を直視するところからこそ、「本格的な批判を試みる道が開ける筈であり、そのような批判の手続きを正当に踏まないまま放置しておくことは、日本の近世、近代史の研究の進展のために、決して望ましい状態ではない」と指摘しているが、賛成である。むろん、日本近世史、近代史の専門家でない私の手に余ることは承知であるが、挑戦してみたいと思う。

二、「国体」論、皇国史観の源流

天皇崇拝が、古代律令国家いらい存在し続けてきたことは歴史的な事実である。しかし、いわゆる「国体」論、皇国史観というイデオロギーの形をとって、歴史をすすめる精神的な動因となるのは、徳川幕府末である。いわゆる尊皇攘夷という形態をとってである。その立場を思想体系にまでまとめあげた潮流の一つに後期水戸学がある。

農民一揆や打ち壊しの頻発にみるように幕藩体制の矛盾が深まり幕府の威信が揺らぐなかで、ロシア、イギリス、アメリカの艦船の相次ぐ来航など欧米列強の外圧によって開国をせまられるだけでなく、国の独立を脅かされかねない事態が広がり、これにどう対応するかが、幕府はもとより各藩にとっていわば国の存立にかかるのっぴきならない重大課題となる。

こうしたなかで、天皇の権威に依拠して幕府の支配体制を立て直すとともに、外圧に対抗しようという意図から登場したのが、後期水戸学派による尊皇攘夷思想である。その出発点となったのが、水戸藩の学者、藤田幽谷（一七七四～一八二六）が一八歳の時に松平定信の求めに応じて書いたという「正命論」であり、つづいて幽谷の弟子である藤田東湖（一八〇六～一八五五）による「弘道館術義」、会沢正志斎（一七八二～一八六三）の「新論」が、水戸学を代表する著作として、広く流布し、政治的影響をあたえた。そこでは、神格化された天皇を敬い、天皇を中心に各藩が力をあわせて、強大な外夷に当たるべきだという主張が、こもごも語られていた。

「国体」なる概念を初めて提起したとされる会沢の「新論」（一八二五年）をみてみよう。序文の冒頭から「謹んで按ずるに、神州は太陽の出づる所、元気の始まる所にして、天日之嗣、世宸極（皇位のこと）を御し、終古易らず、固より大地の元首（世界の頭首という意味――引用者）にして、万国の綱紀なり。誠によろしく宇内に照臨し、皇化の曁《およ》ぶ所、遠邇《えんじ》あることなかるべし」とある。すなわち、日本は、日の神の御子孫が変わることなく世世皇位を継いでおり、全世界のいわば頭首にあたり、天下を統治し、その皇化は遠近にかかわりなくおよんでいる、というのである。「しかるに今、西荒の蛮夷、脛足の賤を以て四海に奔走し、諸国を蹂躙し、眇視跛履《びょうしはり》（――身の程しらずに――引用者）敢へて上国（尊い国）を凌駕せんと欲す。何ぞ驕れるや」。人体に例えれば脛などにすぎない、外夷が諸国をじゅうりんして、日本をも征服しようとしている。もしわが英雄が奮起して天帝の事業を助けないならば、「天地もまたまさに胡羯・腥せん（北方の羊、生肉を食らう毛唐ども——引用者）の誣罔《ぶもう》（——あざむきごまかす）ところ」となってしまう、というのである。ここには、天皇をいただく日本を世界の中心とし、諸外国の人々を、人体に例えれば脛や股にたとえ、「狗羯」（犬、羊）とさえみなす、誇大妄想的な大国主義、排外主義がある。天壌無窮の神勅によって世々天皇が統治する日本、万世一系、万邦無比という「国体」論の原型がここに姿をあらわすのである。

会沢はこうした立場から、尊皇と攘夷をむすびつけ、国防の具体策を提案する。その前提としての内政の改革案は、一、士風の作興、二、奢侈の禁止、三、民生安定、四、人材の登用である。そのうえで、軍令の改革〈騎兵〈高慢で怠惰な兵〉の整理、兵員の増加、実践向け訓練の充実など、藩の富強化、守備の分散を提案、そのなかでは、敵情偵察の組織化、海軍の整備、火器使用の熟達、軍事用資材、食料の備蓄などを提案している。これが、幕末にかけて、多くの志士に読まれ、大きな影響を与えたことは既に述べたとおりである。例えば、吉田松陰が、一九五三年ペリー艦隊の浦賀への来航の二年前に江戸に登り、当時の江戸内の儒学者などにみる対外危機感の欠如に失望して、東北への旅に出てそこで学んで積極的な水戸学派の一員になるのはよく知られているところである（もっとも、松蔭はまもなく水戸学から離れて国学にすすんでいく）。

『新論』が書かれた一八二四年には、イギリスの捕鯨船が常陸の大津浜に来航、乗組員が上陸するという事件があり、会沢はそのさい臨時の筆談役を務め、外国の圧力を直接目の当たりにして危機感をつのらせている。それが本書執筆の直接の動機となったという。当時、東アジアでは、インドから、インドネシア、ベトナム、フィリピンの植民地化がすすみ、大国中国もまたその危機にさらされていた。そうしたなかで、日本も否応なしに欧米列強の進出にたいして主権と独立をどうまもりぬくかという民族的課題に、緊迫した状況下で直面する。ここに会沢らが特異な「国体」論という形で尊皇攘夷イデオロギーを掲げるにいたる最大の要因があったといえよう。

米沢謙著『国体論はなぜ生まれたか――明治国家の地形図』(ミネルバ書房)は、会沢がなぜ『新論』を書いたかについてつぎのように指摘する。「『新論』の主題は『国体』と『長計』にあった。列強の接近を軍事力でなくキリスト教によるイデオロギー的脅威と捉え、それに対抗する手段として『国体』という概念を練りあげたのである」(三六頁)、「庶民が仏教やキリスト教に惑わされるのは、死後運命に関する教説による。これに対抗するものとして会沢が構想したのが祭政一致の国家体制だった」(三七頁)、「万世一系の天皇による祭祀と、それを見習う群臣たちの天皇への忠誠によって示された祭政一致体制が、会沢のいう『国体』の核心だった」(三八頁)、「このように水戸学は、天皇への忠誠心を喚起することによって、列強の接近で揺らぎ始めた徳川体制を再構築しようとした。しかし周知のように、水戸学の尊皇論は、その本来の意図とは逆に、日米修好通商条約調印による『違勅』問題によって倒幕論を発生させてしまうことになる」(同)

後期水戸学について見過ごしてならないのは、それが幕藩体制の打破をめざしたものでなく、反対に、尊皇をもちだすことによってほころびの出た幕藩体制を立て直し、幕藩体制を補強、強化しようというイデオロギーとして生み出されたということである。すなわち、尊皇敬幕であって、尊皇倒幕ではなかったことである。その意味では、藤田幽谷の「正名論」がしめすように、「苟しくも君臣の名、正しからずして、上下の分、厳ならざれば、すなわち尊卑は位を易へ、貴賤は所を失ひ、強は弱を凌ぎ、衆は寡を暴して、亡ぶること日なけん」という、封建的身分制度、社会秩序の枠組みを厳格に守ることを至上命令とするのである。したがって、天皇のもとに士風を作興し、人材を登用、軍令を改革、兵員増加といっても、それは幕藩体制そのものの壁に跳ね返されざるを得ないという矛盾を内包する運命を免れないのである。ここに、後期水戸学の限界があったといえよう。

徳川御三家の一つである水戸藩にとって、幕藩体制の護持は動かすことのできない大前提である。尊皇攘夷思想は、幕藩体制護持のためのイデオロギーであった。ところが、幕府は列強の圧力に抗し難く次第に開国やむなしという立場へと移っていく。一八五四年、アメリカのペリー、ロシアのプチャーチンの再来日にあたって、幕府はついに日米和親条約、日露和親条約を締結する。つづいて五八年、幕府はアメリカのハリスとの間で合意した本格的な貿易に道を開く日米修好通商条約の締結にあたって、それまでに例のなかったことだが、事前に勅許を孝明天皇に申し出て、拒否される。いわゆる違約勅許である。幕府と皇室との間に亀裂が生じ、少なくともこの問題をめぐって幕府は天皇の命に背く存在となったのである。大老・井伊直弼による反対派弾圧＝安政の大獄もあって、尊皇攘夷のイデオロギーは、幕府の手から倒幕派の手に移っていく。こうして、幕藩体制擁護のためのイデオロギーが、倒幕のためのイデオロギーに転換するのである。

そして水戸学派を生んだ水戸藩そのものは、内部分裂やその一派、天狗党による冒険主義的な武装蜂起などもあって、歴史の表舞台からとりのこされてしまう。にもかかわらず、藤田や会沢の著作は尊皇倒幕をめざして幕末を駆ける志士たちを思想的に鼓舞し続けたのである。

「国体」論のもうひとつの源は、伊藤仁斎（一六二七〜一七〇五）につづく荻生徂徠（一六六六〜一七一八）の古学から本居宣長の国学（一七三〇〜一八〇一）、平田篤胤（一七七六〜一八四三）の復古神道にいたる潮流である。尾藤氏によれば、荻生徂徠は、「日本の伝統的な政治体制に固有な論理にもとづいて天皇の存在意義を再評価」したとされ、さらに「この徂徠においてなお不明確であった天皇と将軍の関係を、天皇の宗教的性格を明らかにする方向において発展させたのが、本居宣長の思想であった」(『日本の国家主義――「国体」思想の形成』)という。

幕府公認の儒学である朱子学にたいして、徂徠が批判的態度をとり、古学を成立させるにはそれなりの理由があった。徳川幕府によって重用された朱子学は、世界を理と気、陰陽五行によって説明する思弁的な形而上学と個人主義、徳治主義を特徴とし、政治論としては革命による政権交代を容認する易姓革命論をとっていた。それは中国の宋で発達した外来の学問であって、思弁ではなく情緒的な思考様式を特徴とし、個人主義というより共同体的な和を尊ぶ日本人にはもともとなじまないところがあり、しかも徳川幕府は本来的には武力政権であって、徳治に徹しがたいという本質をもっている。そのうえ、奈良から平安へ、そして織豊政権へと、形の上ではずっと天皇をいただいてきたという意味では、中国のように革命によって権力が断絶、交代してきたわけでない。こうしたことから、支配層は別として日本では朝鮮のように儒学が社会に深く浸透するにいたらなかった。徳川政権のもとで日本独自の文化も発展するなかで、徂徠は、朱子学への不満、批判を、いにしえの孔子、孟子の教えに帰るというかたちで打開しようと主張する、これが古学である。ヨーロッパの近世でいえば古代ギリシャへの回帰が叫ばれたルネッサンスにもあたろう。何千年も昔の中国の聖人の教えを無条件で絶対化し、それを中国語、しかも古代中国語で直接学ぼうというのである。これが、中国の古典に帰るという、それ自体逆立ちした形ではあれ、思想的文化的に朱子学からの離脱、日本にふさわしい独自の思想、学問の確立への一つの試みを意味していたことは明らかである。古学はそういう意味で、ナショナルな思想潮流のひとつをなしていたのである。徂徠が神道の祭政一致を評価していたのも、その意味ではゆえなしとしない。

しかしそれなら、何も中国の古代の聖人を絶対化してそれに盲目的にしたがう必要はないでないか、日本にも古い歴史があり、古代日本には「古事記」「日本書紀」という立派な文献があるではないか。中国でなく日本の古に帰ったらどうか。そこには、外来文化が入ってくる以前の純然たる日本固有の思想、文化があるではないか。このように論を発展させる人が出てくるのは自然ななりゆきであろう。おりしも、欧米列強の外圧をまともにうけ、日本の独立、日本人のアイデンティティーが鋭く問われる時代に入っている。賀茂真淵による万葉の研究をひきついで本居宣長が、「古事記」「日本書紀」の研究を通じて「国学」を確立し、同時に天壌無窮の神勅による万世一系の天皇の統治に日本古来変わらぬ「国体」をみいだし、それを世界に誇るにいたるのは、こうした時代のなりゆきであった。平田篤胤は、宣長をうけつぎ、尊皇思想を奇想天外だが壮大なコスモロジーにまで拡張して復古神道を唱えるのである。

この平田神道が、幕末に気吹舎という結社をとおして、たとえば伊那、中津川一帯の豪農、豪商のあいだに信奉者を広げ、倒幕運動と明治維新に大きな役割を果たしたことは、島崎藤村が『夜明け前』で、主人公青山半蔵をとおして克明に描き出したところである。宮地正人著『歴史の中の「夜明け前」――平田国学の幕末維新』(吉川弘文堂)は、長年にわたるフィールドワーク、研究によってその足跡をたどっている。古代律令国家の祭政一致の復活をかかげて成立した維新政権は、その神祇官に当初平田派の神官を多数登用した。しかし、一九世紀後半に樹立される近代国家にそのような祭政一致が通用するはずがなく、維新政府はほどなく彼らを蹴落としていく。「夜明け前」は、青山半蔵の狂死によってその悲劇を象徴させている。それにしても、東西の交通の要路に位置し、最新の情報、知識に接する機会に恵まれたこの地域の知識人の多くが――気吹舎は当時日本で最大の知識人の組織であった――何を期待して平田神道に集まったのか、その歴史的意義はどこにあったのかについては、さらに解明をもとめられよう。

宮地氏によれば、日米修好通商条約をめぐって、幕府と朝廷がまっぷたつに割れ、無勅許開国、水戸藩への密勅、安政の大獄による幕府反対派の弾圧といった事態に直面して、「一体日本の統治権はどこに所在するのか、どのような国家的纏りを日本人は外圧に対し形成していかなければならないのか、このような真剣な自問自答こそが、彼等（東濃、南信の豪農・豪商人たち――引用者）をして日本のあり方を考えさせ、平田篤胤の古道学を学ばせるバネとなった」（『歴史の中の「夜明け前」』）という。

ところで『古事記伝』できわめて実証的な考証によって「国学」を完成させた宣長は、「古事記」「日本書紀」にみる天孫降臨を中心にした神話の世界については、不思議なことになんの考証もないまま頭からそれらを無条件に信じこむ。そして、天壌無窮、万世一系の天皇の支配を万邦無比の日本の誇るべき「国体」として、日本こそ世界に君臨すべきだと本気で説くのである。

宣長の「玉くしげ」をみてみよう。「抑天地は一枚にして、隔てなければ、高天原は、万国一同に戴くところの高天原にして、天照大神は、その天をしろしめす御神にてましませば、宇宙のあいだにならぶものなく、とこしなへに天地の限をあまねく照らしましまして、四海万国無此の御徳光を蒙らずといふことなく、何れの国にとっても、此、大御神の御陰にもれては、一日片時も立つことあたはず、世中に至て尊くありがたきは、此、大御神なり、然るに外国には皆、神代の古伝説を失へるが故に、これを尊敬し奉るべきことをばしらずして、ただ人智のおしはかりの考えを以て、日月の陰陽の精などと定めおきて、外にあるひは唐戎国にては、天帝といふ物を立て、上なく尊き物とし、其餘の国にても、道々に主として尊崇する物あれども、それらは或いはおしはかりの理を以ていひ、或は妄りに説を作りていへる物にして、いずれも皆、人の假に

其名をまうけたるのみにこそあれ、実に天帝も天道も何も、あるものにはあらず、」(筑摩書房全集八巻、三一〇頁〜三一一頁)

「さてかくのごとく本朝は、天照大神の御本国、その皇統のしろしめす御國にして、万国の元本大宗たる御國なれば、万国共に、この御国を尊み戴き臣服して、四海の内みな、此まことの道に依り遵わではかなはぬことわりなるに、今に至るまで外国には、すべて上件の子細どもをしることなく、ただなほざりに海外の一小嶋とのみ心得、勿論まことの道の此皇国にあることをば夢にもしらで、妄説をのみいひ居るは、又いとあさましき事、これひとへに神代の古伝説なきがゆえなり、」(同、三一二頁)

天照大御神は、天地、世界じゅうを照らすありがたい神で、いずれの国もそのお陰をこうむっているのだから、尊敬し奉って当然なのに、そうなっていないのは、これらの国々が古代の伝説を失ってあれこれの妄説をたてているからだ、というのである。

平田篤胤になると、宣長の神話世界をさらに拡張して天界、冥界、黄泉の国についての壮大で特異なコスモロジーを展開してみせる。その著『霊の真柱』などは誇大妄想的な神話的宇宙論を延々と展開していて、とても今読めるものではない。

『日本思想体系五〇巻』(岩波書店)で、「『霊の真柱』以降における平田篤胤の思想について」と題して解説を書いている田原嗣郎氏によると、「篤胤は次のように考える。即ち、古学する徒は、まず主と大倭心を堅むべく、そのためには霊の行方を知らねばならず、また霊の行方を知るためには、天・地・泉の三つの世界の形成の事実、およびそれについての神の功徳、さらにはその経緯からしてわが国が四海の中心であり、天皇は万国の大君であるということを事実に即して熟知せねばならない、と」(五六八頁)。日本人としての自覚を固めるためには、魂が何処へ行くかを知らねばならない、天界、地界、黄泉の国の三つからなる世界が、神の力によってどのようにできたかを知り、わが国が世界の中心であり、天皇が全ての国の大君であることを熟知すべきだというのである。

つづいて氏は、コスモロジーでの宣長と篤胤の違いについて、いくつかを指摘する。その中心は、黄泉の国および「幽冥界」についての解釈のちがいである。宣長が「幽冥」を死後の世界とされる黄泉の国に帰して神のなし給うとするのにたいして、篤胤は、黄泉の国とは別に「幽冥界」があり、「幽冥界」を支配するのは大国主命であるとする。人間は死後「幽冥界」に行き、大国主の裁きをうける。「幽冥界」は現世である「顕明界」と表裏一体であって、この世で人間が天皇にどれだけ忠勤を励んだかを判定するのだというのである。大国主神の存在と救済の役割を特別に大きく位置づけるのが篤胤である。

ここには、もっぱら穢れを意味する黄泉の国ではない死後の落ち着き先を見出さなければ人間は安心できないという、篤胤の強い信念があったようである。篤胤は、外来思想のキリスト教に人心が蝕ばまれ、日本の独立が人々の心から侵食されるのを恐れた。キリスト教が浸透力をもつのは、なによりも、死後の世界について確固とした見解、救済の思想を持つからだ。復古神道がキリスト教に対抗するには、死後、人は地獄を意味する黄泉に落ちるのではなく、冥界において救済されることを必要としたのであった。

篤胤は大変な博識家であり、当時の海外事情や科学・技術にもつうじ、儒学はもとよりキリスト教についてもかなりの知識をもち、そこから大きな影響をうけている。天地創造を説く際に、わざわざアダムとイヴの話を引合いにだしていることからも、そのことは頷ける〈村岡典嗣著『日本思想史研究』所収「平田篤胤の神学に於ける耶蘇教の影響」〈岩波書店〉参照〉。

永田広志氏は、篤胤とキリスト教徒のかかわりについて、次のように指摘する。「だがここで重要なことは、篤胤に対するキリスト教の影響の程度如何の問題よりも、むしろ彼が独特な比較宗教学によって、日本古典に見出されるものと共通らしい原始的な観念や古代伝説を支那、インド、ヨーロッパの古典から拾い出し、それを皇国の古伝の『訛説』なりと付会することによって、神道を世界宗教として推し出そうとした彼の態度である」(『日本封建イデオロギー』(法政大学出版局、一二二五頁)。

それにしても、「古事記」や「日本書紀」の神話の世界にこそ、時代を超えた真理と理想社会の範例があるとする主張が、当代随一の知識人の口からほとばしるのに、ただ驚くほかない。そこに共通しているのは、強烈なナショナリズムである。日本が世界の中心であって、古代から万世一系の天皇をいただくわが国のあり方は、世界に例のない誇るべきものであり、万国がこれに心服してしかるべきだというのである。当時の諸外国からの圧力、脅威にたいして、それを外交、軍事、政治上で問題にするだけでなく、日本人の思想、世界観における危機としてとらえ、これにたいして日本固有の思想、精神を強烈に対置してこそ、キリスト教を中心とする欧米の思想侵略に対抗できるという、せっぱつまった信念をそこから汲み取ることができないだろうか?

長州藩の藩士で兵学者であった吉田松陰が、藩の枠内での発想を脱して、外圧からどう日本を守るかという民族意識に目覚めていくなかで、水戸学をつうじて熱烈な尊皇家となり、さらに国学へと進んだことはすでにふれた。松陰の場合、国学の説く「天壌無窮の神勅」とそれを中心に展開される建国神話なるものが荒唐無稽で科学的な根拠を欠いたものであることは、十分承知していた。しかしにもかかわらず、それにすべてを賭けたのである。「西洋諸国が強烈なナショナリズムを掲げて押し寄せてくる状況のなかで、日本の独立を維持するには、彼らに対峙しうる自分自身の存在根拠が必要であると松陰は考えた。そして彼がたどりついた答えの一つが、宣長から学んだ『天壌無窮の神勅』であった。もとより理性的に言えば、それは『事実』ではなく『怪異』に立脚したものであることは明らかであり、彼自身それは十分に了解していた。しかし、だからこそ彼は、神勅を『信じる』ことを選択し、これにみずからにおける尊攘の志を賭けたのである」(桐原健真著『吉田松陰――日本人を発見した思想家』〈ちくま新書〉)。

朱子学が日本人にはいまひとつなじまず、仏教は幕府による統制と檀家制度のもとで、時代的課題にたいする思想的な対応力を失っていたなかで、日本人、日本民族としての自覚をいかにして確立するか、そこに幕末における思想的課題があったといえよう。「国学」や復古神道は、そうした時代的な課題にたいして当時のもっともすすんだ自覚的知識人がたどりついたひとつの答えであったのである。

三、「一君万民」の思想的位相

「国体」論や尊皇思想が幕末における対外危機意識と結びついた強烈なナショナリズムを内包していたことは、宣長や篤胤の言説に端的に現れている。同時に、それが対外的なナショナリズムにとどまらない歴史的意味と役割をになったことにも注意を向けないわけにいかない。

一つは、徳川幕府が対外的面においてだけでなく、内政でも農民の窮乏と一揆の続発、都市での打ち壊し、犯罪の激発など治安の乱れ、物価の高騰と幕府・藩の財政的窮乏などにたいして無能、無策ぶりを露呈し、その支配力と権威がいちじるしく衰退していくもとで、幕府にかわる権威ないし統治への民衆の自然発生的な期待がたかまり、そこに尊皇思想が復活する歴史的条件があったということである。

藤田覚著『幕末から維新へ』（岩波新書）は、冒頭、つぎのような情景を紹介する。天明七年（一七八七年）、凶作と物価高騰による窮民の打ち壊しがなすがまま、奉行所は手もつけられない状況が広がる江戸と対比して、京都で救済を天皇に祈る民衆の御所千度参りがおこなわれる。「毎日のように、人々が禁裏御所の築地塀を取り巻いて南門と唐門へお賽銭をなげいれていた」「人々は、救済を町奉行所に願いでたものの埒があかなかったことから、奉行所を見限って禁裏御所、すなわち天皇へ救済を願い出たのである。天皇を神仏に見立てた行動で、参加者はもっとも多い日には五万人にも膨れあがったという。天皇の住む京都という条件つきではあるが、将軍にとって替わる天皇の姿がおぼろげに浮かび上がってきた」（一頁）。時の光格天皇はこの千度参りを受けて、幕府へ庶民の救済を要望した。「このように幕府政務に関して天皇・朝廷が何ごとかを申し入れたのは、近世の歴史において先例のない行為だった」（二四頁）という。

ここには、尊皇思想が新たな形で登場する歴史的背景が象徴的にしめされている。そもそも後期水戸学が尊皇をかかげたのも、内外の危機にたいして藩幕あげて対処するためには、天皇をもちあげその権威にすがるほかになかったからである。日米修好通商条約の締結にあたって、幕府が各藩に意見の進言をもとめるとともに、事前に勅許を天皇に申し出たのも、それなくしては各藩をおさえることができないと判断したからである。幕藩体制の矛盾とほころびが深化するなかで、このような客観的な事態はますます広がっていった。こうして、尊皇思想は、現実の歴史と政治過程のなかに、それが成長していく基盤を発展させていったのである。「国体」論、皇国史観を問題にするとき、そのような歴史的条件の成熟をきちんとみすえることが不可欠と思う。

同時に見落としてならないのは、幕末における尊皇攘夷の思想のなかには、神格化された天皇を戴くという形でではあるが、それによって藩の割拠や御三家、譜代、外様大名の区別と差別、士農工商という封建的身分差別と序列をゆるめ、あるいはそこから脱却して、近代国家成立の前提となるあたらしい国民思想をはぐくむ契機がふくまれていたという事実である。すなわち、「一君万民」という逆説的な姿をとってではあるが、法の前での万民の平等という思想、観念へと進んでいく思想的要素がそこに内在していたということである。

後期水戸学における尊皇思想が、幕府側か倒幕派かにかかわりなく多くの志士に歓迎されたのは、封建的身分制や序列を厳格に守ることを前提にしていたとはいえ、対外防衛における全国的視野からの問題提起――そのなかには藩をこえた協力をふくむ――を行っていたからである。国学は、天壌無窮の神勅による万世一系の天皇の存在ゆえに、日本を他国に例を見ない特別の国、世界の中心に位置し、世界の範たる国と位置づけ、平田篤胤が、旧約聖書にみるキリスト教的世界創造神話を意識しつつ、天御中主神を創造主とする壮大な神道神学をつくりあげた。そのいずれでも、神の子孫とされる天皇のもとでは、階級の区別も身分差別もなくすべての民は平等となる。それは、キリスト教において、神のもとにすべての人間が平等であるのと対比されよう。

篤胤の『霊能真柱』によれば、天皇は神孫としての現津御神である一方、人々の「神魂《たま》はもと、産霊神の賦《くま》りたまへる」ものであって、身分を超えた「御国の天皇という大義御民」である。『玉襷』では、「世に有ゆる事物は此天地の大なる、及び我々が身体までも尽く天神地祇の御霊に資よりて成れる物にて、各々某々に神等の持分け坐《まし》まし」とある。宮地氏によれば、「そこでは封建的主従関係そのものを相対化する論理がたしかに働きはじめているのであり、日本国を下から成り立たせている六〇余カ国のいずれかの国の御民を明白に自覚することによる、緩やかな国民的意識の萌芽が芽生えはじめてきたのである」(前掲書二六〇頁)。

吉田松陰は、友人とともに東北へ旅立つにあたっていとも簡単に脱藩しているが、当時すでにそういうことを可能にする状況が生まれていたのである。天皇という大義を水戸学で学ぶなかで、藩士、とくに下級藩士にとって藩籍はかつてのように何をおいても守るべきものではなくなっていったのである。幕末に多くの志士が、国難にたちむかうという大志から藩を捨てたのも、「一君万民」、天皇のもとに藩も身分も超えて大事にあたろうという気概からである。尊皇思想はやがて、高杉晋作の奇兵隊のように、士農工商の身分制をのりこえて、近代的軍事組織をつくりあげていく力となるのである。

尊皇思想はその後、明治維新でつくりあげられた絶対主義国家をささえるイデオロギーとしての「国体」、皇国史観にしあげられていった。そこでは、教育勅語や軍人勅諭の形で天皇の専制支配とそれへの国民の忠誠という側面だけを肥大化させたイデオロギーが国民に押し付けられた。それらは、そのもとでの国民抑圧と侵略戦争の歴史が示すように、たしかに歴史的にはきわめて反動的な役割をはたしてきた。そのことは、いくら強調されてもされすぎるということはない。だからこそ、戦後、そうした「国体」論、皇国史観は簡単に投げ捨てられ、心ある人々からは顧みられることはなかった。

しかし、幕末から維新にかけてそれは歪んだ、あるいは逆立ちした形態ではあったが、歴史を前に進める役割をそのうちにふくんだイデオロギーであったといえよう。ここのところを正確に見ておかないと、すくなくとも、それがなぜ国民の間に一定の範囲、期間とはいえ受容されてきたのか、そして、戦後七〇年をへてなおその復活がくり返し試みられ、その主張がそれなりに国民の中に浸透しうるのか、その謎が解けなくなるであろう。そのことを私は恐れるのである。

このことともかかわって永田広志が、『日本封建制イデオロギー』でつぎのような指摘をしているのは注目される。鎌倉時代に神道が本地垂迹説などなお仏教と習合しながらも反武家的イデオロギーとして登場したとするとともに、「徳川時代になると、神道の発展は仏教の影響から独立した神儒習合を生み、最後に、儒教との習合から独立を標榜した復古神道を齎し、特に復古神道はもはや単に公家的な反武家的動向のイデオロギーたるのみでなく、民衆の反封建的動向をも萌芽の形ではあるが反映したものであった」(九九頁)

氏はまたつぎのようにも言う。「その(復古国学――引用者)の社会的基盤が国民主義および尊皇主義的動向であったことは間違いない事実である。ところでこの国民主義と尊皇主義の結合は、日本封建制における国民主義が復古国学へは上層からの国民的統一の動向として反映したことを意味している。と同時に、復古国学においては国民主義が、未だ政治的明確さを獲得せず、政治的には幕藩制と両立しうるが如き形態をとり、主として宗教的形式の中に反映せしめられ、現実的行動のプログラムを与える代わりに神秘主義の中に停滞していることは、この国民主義が復古国学において未だ端緒的段階にあるものであったことを示している。それにも拘らず、復古神道に含まれるこの政治的核心を念頭に置くことなしには、この神道の特質――長所と短所――を理解することはできない」(同、一二六頁~一二七頁)

たしかに、復古神道のように、台頭する国民的意識を尊皇思想という形で、しかも日本の神話にもとづく宗教的形態のうちに表現するしかなかったということは、その未成熟をしめすものであったといえよう。しかしそうであったにしろ、そこには日本人としての民族的国民的自覚の覚醒がしめされているのである。

米原謙氏も少し角度は異なるが次のようにいう。「(天皇に対する)一種の親近感と敬意、そして伝統や神話にもとづく威厳にたいする帰依が入り混じった感情は、知識人をふくめて国民全般に広く存在した。この感情は、天皇が政治や宗教に関する意見や利害の対立を超越した『公平な第三者』として振る舞い、そのような存在として国民のあいだに受け入れられたことによって生じた。その背景には、近世以来の神道を中心とする民間信仰にもとづき、抑圧からの開放の理念をこの『公平な第三者』に託した少なからぬ人々の存在もあっただろう」(前掲書、六頁)

「一君万民」＝天皇のもとでの国民的統一と民族的自覚は、同時に他国とくにアジアの諸国に対する蔑視ないし排外主義を含んでいたことも忘れてはならない。文京洙著『新・韓国現代史』(岩波新書)での以下の祖述は見逃せない。

「アヘン戦争や黒船の到来という、一九世紀半ばの未知の脅威に対抗しつつ日本の優位性の拠りどころとして改めてクローズアップされるのが天皇の存在である。そこでは皇国の価値の再発見やその体系化・絶対化の試みが熱を帯び、逆に皇国の秩序の埒外にあってこれを脅かす他者に対する蔑みと敵意が高まる。つまり、華・夷という硬直した自他の弁別の枠組みでこの新たな、しかも軍事的に強力な他者を位置づけようとすれば、勢い華の内実としての『皇国』の優位性と『皇国』以外存在の全面否定としての攘夷論を高揚させないわけにはいかない。

こうした尊皇攘夷の考え方を、幕藩体制の身分秩序を打破し、皇国を新たにつくりだされるべき『一君万民』体制として定式化したのがほかならぬ吉田松陰であった。『国体』の発見として概括される松陰の思想の核心は、一言でいえば、天皇の存在を儒学的な規範から解き放ち、それ自体を無条件にして自足的な価値として示したことにある。天皇の存在があらゆる価値や規範の源泉として立ちあらわれれば、旧社会の身分秩序の根拠は失われ、皇国に生まれついた皇民は、天皇への忠誠を尽くすかぎりにおいてみな平等となる。さらにそうした天皇の絶対化の観念は、力と法の二元的作用からなる近代的国際社会における強烈な自己主張の論理ともなる。要するに、松陰の論理は、近代的な国際社会の枠組みでの、対外的な主権国家の確立と内的な国民形成の論理を、いわば天皇制のイデオロギーの傘のもとで体系的に示したものといえる。その天皇観の転換が根本的で徹底したものであればあるほど、交隣国・朝鮮の、日本にとっての地位の転換も徹底したものとなった」（八頁〜九頁）

尊皇と結びつけられた攘夷論が、当時の国際情勢や力関係を無視した、あるいは理解しない虚勢ないし空威張りをよりどころとする排外主義であったことは言うまでもない。同時に、文氏が説くように、尊皇思想そのもののなかに、対内的な「一君万民」と裏腹に、対外的には「他者に対する蔑みと敵意」という契機が内在していたのである。その後の朝鮮に対する日本の態度にそれは端的にあらわれた。

四、明治国家の「国体」論とその後の展開

大政奉還によって王政復古をかかげて成立した明治国家が、イデオロギー的には尊皇思想を中核に据えたことはいうまでもない。しかし、成立当初の明治国家をささえた人たちの尊皇思想はかならずしも一元的なものではなく、どちらかといえば多元的なものであった。維新直後、復古神道などの影響のもと古代律令国

家の再現をめざす祭政一致、神道国教化論が前面におしだされたが、仏教側からの反発やキリスト教禁圧に対する欧米諸国の批判のまえに、急速に破綻していく。旧雄藩には、公議政体論にもとづく連合政権的構想も広く存在した。自由民権運動の広がりを背景に、欧米へ派遣された使節団などの影響もあってイギリス型の立憲君主制を志向するむきもあった。幕末の志士のなかに、天皇を「玉」と呼び、「玉を抱く」「玉を奪う」などという言辞が飛び交ったように、尊皇といっても政略的な意味合いで唱えるむきがあったのも事実である。尊皇を中心に据えつつもそれら多元的な色合いの思想が、軍人勅諭、大日本国憲法、教育勅語に集約させられていくなかで、明治国家の「国体」が定まっていったといえよう。

成立したばかりの明治国家は、薩長と一部公家を中心とするきわめて不安定な政権であった。しかも、大政奉還による王政復古とはいうものの、維新政府は三〇〇年続いた徳川幕府からの権力簒奪者として、その正当性すら疑われかねない存在であった。そうしたもとで、政権を維持し、内外の危機をのりこえて近代国家への道を切り開くには、天皇の神権的絶対性を前面におしだし、それにたよるしかなかった。その際、動員されたのは、天壌無窮の神勅、万世一系、祭政一致、天皇の世界支配の使命、忠孝の絶対性などの諸観念であったが、それらは日本書紀、古事記にまで起源を求め得る要因が存在したにしても、一八世紀末以降の政治的社会的危機状況のなかで、水戸学や国学を媒介にしてその時代の要請にこたえる形で作為され意図的に醸成されたものであった。

軍人勅諭は、「我国の軍隊は世々天皇の統率し給ふ所にそある。昔神武天皇躬《み》つから大伴物部の兵ともを率ゐ中国のまつろはぬものともを射ち平け給ひ高御座に即かせられて天下しろしめし給ひしより二千五百有余年」で始まる。大日本帝国憲法は、「皇宗の神霊に誥け白さく皇朕れ天壌無窮の宏謨に循ひ惟神の宝祚を継承し」と述べる「告文」とともに、第一条で「大日本帝国は万世一系の天皇之を統治す」と宣言する。教育勅語は、「朕惟ふに我か皇祖皇国を肇むること宏遠に徳を樹つること深厚なり」ではじまる。いずれも、天壌無窮の神勅による万世一系の天皇の統治が永遠にかわらぬわが国の「国体」であり、それが万邦無比の日本のほこりであることをうたい、この天皇にたいしてすべての臣民による無条件の忠誠を義務付けている。

明治国家と天皇をめぐる当時の状況について安丸良夫氏は次のように指摘する。「明治初年の神政国家に類する構想や宗教性の強い神道国教化は、文明開化の時代相のなかでいそいで撤回され、祭紀儀礼を中心とした神社神道がそれにかかわったが、天皇の神権的絶対性を強調することで民族国家としての統合をはかるという基本戦略は一度も放棄されたことはなく、またそれゆえに神道と国家との特殊な結合が失われたこともなかった、と私は考える。天皇の権威性が強調されるばあい、それは彼個人のカリスマ性によるというより、神話上の神々に由来する伝統カリスマによって根拠づけなければならなかったからである」(『日本近代思想体系5』「近代転換期における宗教と国家」、岩波書店)。

ところで、明治国家のこうした「国体」観念において、注意しておく必要があるのはそれがなお一定の柔軟性、ゆるやかさをもっていたことである。明治憲法が、「天皇は神聖にして侵すべからず」「天皇は陸海軍を統帥す」とするとともに、第四条で「天皇は国の元首にして統治権を総覧し此の憲法の条規に依り之を行ふ」と、一応、立憲的な規定をおいているのはその具体例である。天皇は神権的君主であると同時に、みずから定めた憲法にのっとって統治すると縛りをかけているのである。天皇を国家という法人の代表、機関とみなす天皇機関説が長年にわたって定説として認められていたのも、事実である。久米邦武が「神道は古俗の祭典」と書いて、結果的には大学を追われたが、一八九一年当時までそうした考えを『史学雑誌』などに堂々と公表し得ていたことも事実だったのである。憲法学者の樋口陽一氏が、「明治の先人たちが『立憲政治』を目指し、大正の先人たちが『憲政の常道』を求めて闘った歴史から目をそらし」てはならないと警告し、自民党の改憲案が明治憲法以前だと批判しているのも、注目される（樋口陽一、小林節『「憲法改正」の真実』、集英社新書）。ちなみに、日本の実定法に「国体」という語が登場するのは、一九二五年に普通選挙権の導入と抱き合わせに制定された治安維持法が、「国体」の変革へのくわだてを犯罪として罰するとしたのがはじめてである。

「国体」観念が変異をきたしファナティックで硬直した皇国史観が支配するようになるのは、一九三〇年代に満州事変、五・一五事件、二・二六事件の勃発などを経て軍部と国家主義勢力が国政を独裁的に支配するにいたってである。これらの勢力は、中国への侵略を拡大する一方、国体明徴論をかかげて天皇機関説を排撃し、憲法学者の美濃部達吉を東京帝大から追い出すなどして、天皇を現人神とする狂信的超右翼的超国家主義的イデオロギーによる国民の精神的支配をすすめる。これは、国際連盟からの脱退、対中国侵略の拡大と行き詰まり、国際的な孤立といった対外危機のふかまりと、日本共産党や労働運動の台頭、昭和恐慌などの国内情勢の展開のなかで、支配層の危機感と焦りを反映していた。

一九三二年には、文部行政における思想統制機関である国民精神文化研究所が設置され、三七年にはそれまでの思想局を改組して、「国体の本義に基づく教学の刷新振興に関する事務を掌る」機関、教学局が文部省の外局として設置される。

同年、思想局が中心になって準備し文部省名で刊行されたのが『国体の本義』である。この書は、天皇主権説、国民道徳論、祭政一致論、天皇親政論などの教説を集約、総合して、近代天皇制の正当性の源泉を

『紀記神話』における天孫降臨の神勅に一体化しようとした公的な文書である。そこでは、日本の歴史の始まり、肇国は、「皇祖天照大神が神勅を皇孫瓊瓊杵ノ尊に授け給うて、豊葦原の瑞穂の国に降臨せしめ給うたときに」とされ、天皇は「皇祖皇宗と御一体であらせられ、永久に臣民・国土の生成発展の本源にましまし、限りなく尊く畏き御方である」「皇祖皇宗の御心のままに我が国を統治し給ふ現御神《あきつみかみ》であらせられる」とした。この『国体の本義』につづくのが一九四一年に教学局から刊行された『臣民の道』であり、さらに、その立場に立って日本の歴史を祖述したのが一九四三年に文部省による『国史概説』である。そのあと、『大東亜史概説』が企画されるが、これは未刊に終わっている。

『国体の本義』『国史概説』を特徴付ける国史像について、永原慶二氏は以下の四点をあげる（『皇国史観』、岩波ブックレット）。一、「国体」という特殊な価値を体現している国家に対する絶対的優越感ともいうべき思考。二、民衆は忠孝一体の論理で、家→国＝天皇に帰属することだけが価値とされ、それにそった事実以外はまったくかえりみられるに値しなかった。三、自国中心主義と表裏一体の関係で、帝国主義的侵略や他民族支配、戦争などに対しては一貫してこれを肯定賛美している。四、近代科学としての歴史学的認識とは異質のものであって、わりきっていえば、天皇制国家と日本帝国主義とを正当化するためのイデオロギーに他ならない。三〇年代に確立された皇国史観、国体観についての永原氏の指摘は妥当なところではなかろうか。

　長谷川亮一著『「皇国史観」という問題』（現代書館）によると、このような国体論、皇国史観は、侵略戦争の拡大、植民地支配の拡大といったなかで、その基本思想を絶対化しつつも、変容を迫られるという。
「一九三〇年代における対外侵略の進展にともない、それを自己正当化するために、日本の『国体』を、無制限に拡大しうる擬似普遍的な観念として解釈する観点が急速に浮上することになる。そして、この『国体』の拡大を正当化しようとして持ち出されたのが、『八紘一宇』の理念であった」（九三頁）「『満州国』における日本人の軍事行動と支配を正当化するためにも、また『満州国』において『皇国』『皇道』といった、本来は天皇の支配する範囲＝日本国内にしか及び得ない国体論的な論理を持ち込むためにも、その適用範囲を拡大し得る論理の導入が必要であった。そのために、国体論の適用範囲を無限に拡大し得る『八紘一宇』の論理が持ち込まれたのである」（九九頁）。「一九三七年の七月の日中戦争の勃発に伴い、同年八月より国民動員のための官製国民運動として『国民精神総動員運動』（精動）が開始されると、政府はその中で『八紘一宇』を国策理念として喧伝するようになる」（一〇〇頁）。

国体論、皇国史観は、侵略と植民地支配の拡大とともにひとつの矛盾、困難に直面した。日本固有の「国体」は、日本に併合された台湾、朝鮮、そして日本の傀儡国家である「満州」に拡大して適用できるかどうかという問題である。朝鮮や台湾は日本に併合したのだから「皇国」とすることができたとしても、神話に依拠する日本国家のありかたをベースにする「国体論」を、対外的な支配のさらなる拡大と日本の覇権の広がりとどう整合的に説明できるのかという問題である。政府の立場が拡大適用であったことは、一九三七年に朝鮮総督府が「皇国臣民の誓詞」を発表して、朝鮮における「皇民化政策」を本格的に開始していることで明らかである。ただし、戦後、皇国史観の代表者のようにいわれる平泉澄などは、これに対して批判的で、排外的な日本人観、「国体」観に固執していたようである。いずれにしても、「大東亜共栄圏」とともに「八紘一宇」のスローガンが持ち出された所以である。

「八紘一宇」とはもともと『日本書紀』巻第三にある言葉で、神武天皇による橿原遷都についての「八紘を掩ひて宇にせむ」（「八方の遠い果」「国のすみずみ」転じて「天下」をかこって家にするという意味）という記述に由来している。これが、一九三〇年代に日本のもとに世界を統一するという意味で「国体論」の無限拡大に転用されたのである。一九三七年に「国民精神総動員資料」として文部省が発行した一連のパンフレットのひとつ「八紘一宇の精神　日本精神の発揚」には、「『八紘一宇』とは、皇化にまつろはぬ一切の禍を払ひ、日本は勿論のこと、各国家・各民族をして夫々その処を得、その志を伸ばさしめ、かくして各国家・各民族は自立自存しつつも、相倚り、相扶けて、全体として靄然たる一家をなし、以て生成発展してやまないといふ意味に外ならない」とある。これは日本による侵略と植民地化の極めつけの正当化、理念化にほかならない。日本の敗戦が必至になる中で、「国体」の護持は日本の支配層の最大課題とされるが、「八紘一宇」の方はいとも簡単に投げ捨てられ、見向きもされなくなるのは自然な成り行きであった。

もう一つ、三〇年代の国体論をめぐって見過ごすわけにいかない研究に、昆野信幸著『近代日本の国体論――〈皇国史観〉再考』（ぺりかん社）がある。昆野氏によると、『国体の本義』や『国史概説』にみられる「国体論」は、文部省を中心にした伝統的「国体論」であり、「神代に根拠をおいた天皇統治の正当性、不変性・一貫性を尊ぶ時間意識、天皇と国民の自然的関係」という三つの特徴を持っていた。ところが、このような「国体論」は、日本の帝国主義的領土拡張と総力戦体制を必要とする状況をささえるイデオロギーとしては力を失って行き、より「合理的」で「主体的」「能動的」な国民を求める新しい国体論によって代わられなければならなくなったという。つまり、神話にもとづく伝統的国体論は、非科学的で天皇と国民との自然な一体化論であって、朝鮮、台湾をふくむ大日本帝国が戦局の困難をのりこえて総力戦をたたかいぬくイデオロギーとしては、有効に対応できなくなっていったという。そして、こうした時代の要請に応えようとしたのが平泉澄であり、アジア主義を唱えた大川周明であったという。

著者によると、平泉は、天皇統治の正当性を説くのに神代をはずし、むしろ中世、そこでの武士と民衆の台頭を重視し、主体的意志的に歴史をきりひらく力にこそ尊皇の真髄があると説くようになる。大川も、尊皇思想から神代ははずし、中世、武士を重視する点では平泉とおなじである。ただし彼は、「日本人」に固執する平泉とは対照的に大アジア主義を説き、これに体制「革新」を結びつけるところに、平泉との違いがあるという。いずれにしても、総力戦体制に対応できる主体的・意志的な臣民によってこそ尊皇は実現できるという国体論である。神話に依拠する「自然的『日本人』」などではなく、「『皇国臣民としての自覚』に目覚めた『真の日本人』」が、主体的に総力戦を担う。『臣民の道』が求めるのはこのようなあり方に他ならない」「主体的『日本人』によって国体が支えられるべきだと説く平泉の新しい国体論は、極めて総力戦体制に適合的なものであった」という。もちろん、「日本人」に固執する平泉の国体論が、朝鮮、台湾を併合して日本が多民族国家になったもとで、解決できないジレンマに陥ったことも事実である。

『国体の本義』は、伝統的な「国体論」が行き詰まり、批判を招くこうした状況のなかで、危機感を抱いた文部省が伝統的国体論の立場であらためてまとめ上げたもので、『国史概説』もその立場を引きつぐが、こちらは臣民の主体的意志的立場を強く押し出しているという。皇国史観ということば自体は、文部省の国民精神文化研究所などによって一九四三年ころから使用されるようになったもので、神がかり的な様相をつよめていく『国体の本義』の内容にこそその真髄がしめされている。そして、『国体の本義』は国家イデオロギーとして、権力の力で教育の場を通じて青少年の頭に叩き込まれ、国民を呪縛していく。その国民に及ぼした精神的影響力は計り知れない。一方、平泉は、皇族や軍部、右翼団体などと強い接点を持ち、思想的影響を与えたが、文部省とはかならずしもしっくりいかず、彼は、文部省によって広げられた皇国史観という言葉も絶対に使わなかったという。

もちろん平泉の国史観が、文部省のそれと本質的に異なるものでないことはいうまでもない。「我が国の歴史は、神代に示される原理準則が、具体的に表現してゆく所のものである事を示すのである」「かくて日本の歴史は、日本精神の深淵なる相嗣、無窮の開展であって、その不退転、不断不絶なる点に於いて、凡そ歴史の典型的なるものであり、我等日本人にして――この歴史の中より生まれ、この歴史に於いて初めて人格たり、又この歴史は我等によって初めて荷はるるものなる其の我等日本人にして、――初めて其の歴史を理解しうるものであって」（『平泉博士論史抄』〈青々企画〉）というのが、その歴史観である。彼が戦後書いた『少年日本史』（皇学館大学出版部）をみても、確かに書き始めは神代からではなく、神武天皇からではあるが、つづいて神代の話を延々と紹介している。そして、日本の歴史は、徹頭徹尾、天皇への忠誠と反逆のたたかいの歴史として描かれるのである。だから理性的合理的といっても、それは文部省の史観に比べてとの条件付きのものでしかないことは、明確にしておく必要がある。

それにしても、昭和一〇年代に「国体論」をめぐってこうした分岐があったこと自体、興味深い指摘ではある。だが、問題はそれにとどまらない。戦後、米軍の占領と民主化のなかで、『国体の本義』にしめされた伝統的「国体論」は放棄されていく。天皇機関説攻撃の先頭に立った蓑田胸喜の自殺、その師の三井甲之の変節はそのことを象徴的にしめしている。ところが、平泉らの「国体論」は、東大教授・平泉の広い人脈もあずかって戦後も生きのびる。弟子の村尾なにがしかが文部官僚として教科書検定に威力を発揮するのもその現われである。その背景には、平泉の「国体論」が、大正時代の人類学の勃興やマルクス主義史学の興隆などをも意識しており、神話や天壌無窮の神勅に依拠する非科学的な国体論そのものではなく、神代よりも中世を重視し、神としての天皇より、実在の天皇の人格や歴史の中で果たしたその役割に目をむける、それなりに〝実証的〟〝合理的〟な思想という体裁をとっていたという事情があったという。

ところが、戦後歴史学は伝統的国体論も平泉の「国体論」もいっしょくたにして皇国史観として切り捨てた。「その結果、『戦後歴史学』は、八紘一宇や万世一系、天壌無窮といったイデオロギーとは確かに絶縁したが、過度の断絶の強調は、その背後において連続する一面を隠蔽してきたのではなかったか。例えば、これまで〈皇国史観〉の代表とされ、指弾されてきた平泉の歴史観は、実は天皇の神格化や八紘一宇とは程遠いものであった。彼にとって、天皇は神代と連続し、天照大神と一体であるが故に尊いわけではなかった。——彼は皇祖や神勅の威光よりも、個々の天皇の営為、天皇の個人的人格をこそ尊重したのである。そもそも彼の思想において最大の特質は、単一民族観を基盤とした極めて閉鎖的な『日本』・『日本人』観に求められる」(同書三一一頁〜三一三頁)。

平泉的「国体論」が天皇の神格化と程遠いものだったというのは、少々言い過ぎのように思う。彼にとっては、尊皇の精神がどう受け継がれ発展してきたかが日本歴史のすべてであって、平泉の歴史学全体が天皇の神格化、絶対化を大前提にしているからである。しかし、戦前の「国体論」に指摘されるような矛盾と分化があったとの指摘は、それを余り過大に評価しすぎて、両者のいずれもが共通して非合理な専制的天皇支配と侵略戦争、植民地支配を正当化、美化する役割を果たしてきたことを過小に見てはならないという条件をつけたうえでだが、検討に値する。なぜなら、平泉的「国体論」が戦後も生き残り、二一世紀のこんにちも「日本の国柄」「国風」という形で安倍首相ら自民党などの政治家や「日本会議」のイデオロギーにいまも力をもち続けるのをみるとき、著者のこの指摘を軽視するわけにいかないからである。

先に和辻哲郎の著作を読んだが、彼の尊皇論も決して神がかり的なものではなく、原始時代の共同体の統一のシンボルだった天皇の家系が、島国という日本的な特殊な状況の下で時代を超えて生き続けたところに尊皇思想の根本があるというものであった。和辻はこの思想的立場を戦後も基本的に変えなかった。こういう意味での尊皇思想を、われわれが本当の意味で克服してきているであろうか、これはなお疑問である。永原慶二氏の『皇国史観』(岩波書店)にしても、『国体の本義』に代表される「国体論」を皇国史観として批判するかぎりで的確である。しかし、和辻や平泉の「国体論」については、どこまで批判しきれているかとなると、なお一考を要するように思う。永原のような研究、努力にもかかわらず、総じて思想的相克なしに戦前をあっさりと切り捨て、本当の意味でそれを克服できていないところに、戦後日本における歴史認識、思想状況の一般的特質があるという、昆野氏の指摘を見過ごすわけにいかない。

なお、著者は最後に、昭和一〇年代の二つの「国体論」の相克という問題意識から、二つの国体論が対立しつつも、ある意味で共犯関係を築きながら国民に対して機能していた面についてはほとんど分析が及んでいない」と、自著についてのべている。「国体論」に分岐はあっても、いずれも非合理な侵略的戦争推進のイデオロギーとして歴史的な役割を果たした。そのことへの目配りについての著者自身の自省は当を得ている。

この問題にかかわって戦後の状況についての長谷川氏の指摘も見逃せない。長谷川氏は先の著作でいう。日本国憲法の制定で、「大日本帝国」も「万世一系」も法令上削除され、教育勅語も失効した。「しかし、これをもって国体論自体の衰退と考えるべきではない。むしろこれは、一九三〇~四〇年代の〝強い〟国体論が放棄され、それ以前の〝ゆるやかな〟国体論が形を変えつつ復活してきたと見るべきであろう。『天壌無窮の神勅』という国体論のタブーが解消されたことは、かえって天皇中心主義の立場からも、より合理的な形でのナショナリズムを再構築する機会を得ることにもつながったのである。」（三二〇頁）

「植民地を喪失したことにより、『八紘一宇』の理念を持ち出して対外侵略・異民族支配を自己正当化する必要はなくなった。このことは、『日本』の純粋性・同質性・均一性を主張する型のナショナリズムにとってはむしろ好都合なことともいえる。『日本書紀』の神話性は失われたが、このことは『日本書紀』を絶対の聖典と見なすことによって生じる多くの不合理が解消され、より合理的な形で天皇を中心とした歴史を再構築することを可能とした。『万世一系』は『天壌無窮の神勅』によって規定されたものではなく、国民の信念に基づくものとして読みかえることが可能となった。天皇親政のタテマエにより低く評価されなければならなかった中世・近世の武家政権は、かえって高く評価されるきっかけを生むこととなった。

なお、戦後による植民地の喪失は、排外主義的で日本一国的な平泉澄の皇国史観にとっては、ある意味で——もとより、国体論者平泉澄自身の主観的な認識とは反するものであるが——適合するものであったといえよう。最初に述べたように、平泉の文部省への影響力は戦前・戦中においてはそれほど強いものではなく、むしろ戦後、一九五〇年代後半になってから門下生の入省という形で強まっている。このことは、戦前・戦中において平泉の歴史観が必ずしも国策に適合するものではなかったのに対し、戦後における支配層、ことに文部省のイデオロギーとは適合し、むしろ好都合であったことを示しているのではないか。

また、このことを考慮すれば、戦後において『皇国史観の復活』とされてきた諸問題は、単純に戦前・戦中への回帰などではなく、むしろ、国体論がその時々の状況に合わせて都合のよいように変質していること

を示しているものといえよう」(三二〇頁～三二一頁)

長谷川氏は、戦争責任についての戦後歴史学のあり方にも言及している。戦前、戦中において、当時の状況からいって歴史学者の戦争協力について一概に批判すればよいということではないと断りつつ、「しかしながら問題なのは、戦争協力それ自体もさることながら、戦争協力が存在したということ自体がきちんと認識されてこなかったことであろう。中村孝也や板澤武雄、西田直二郎や肥後和男など、戦争協力の比較的明白なケースですら、平泉澄の影に隠れてきちんと論じられてこなかったこと、また、戦時協力を批判する場合でも、『皇国史観』といったレッテルを貼るだけで思考停止し、その思想的な内容にまできちんと踏み込むことが乏しかったことは批判されなければならないであろう」(三二二頁)と。この指摘も、傾聴に値しよう。

平泉の戦前・戦中における言動とその歴史的役割については、昆野、長谷川氏の見解の当否をふくめてきちんとした分析と批判が必要におもわれる。両氏の説を一応前程にして考えると、いま安部元首相や日本会議の面々が唱える皇国史観が、『国体の本義』流の皇国史観ではなく、平泉流の皇国史観であるということになる。平泉といわなくとも、三〇年代の狂信的な皇国史観ではなく、もう少しゆるやかな、あるいは非合理色の少ない皇国史観と言っても良いであろう。和辻哲郎のように原始共同体の社会的統一、代表としての天皇、あるいは美濃部亮吉の天皇機関説のような天皇観といってもよいであろう。それらは、「大日本帝国は、万世一系の天皇これを統治す」という明治憲法を自明の前提として受け入れ、天皇中心の国家をいささかも疑うものではなかった。そういう意味での皇国史観の問題は、いまなお日本人の間で思想的に克服されたとは言い難いのではなかろうか。自民党の憲法改正案が、憲法前文で「天皇を戴く国家」をうたい、天皇を元首と明記しているのも、そうした意味での皇国史観であり、それが国民に広く受容されうるとの判断によるものである。天皇は「国権に関する権能を有しない」とする現憲法を、そのような憲法に変えようとする流れにたいして、どのような批判がいま必要か、また天皇条項をふくむ現憲法の全文をまもるというわれわれの立場と、どこでどう対立し何がちがうのか、慎重な吟味が必要である。

五、まとめ

七〇年前に日本の支配層が戦争終結へと動く最大の動機となったのは、国民の多大な犠牲や耐え難い苦しみをこれ以上続けるわけにいかないといったことではなく、このままでは「国体」が危うくなるという危機感であった。一九四五年七月二九日の連合国によるポツダム宣言を受諾するさい日本政府が唯一の条件としたのは「国体の護持」であった。戦後新憲法を制定するに際して、吉田茂首相や金森徳次郎担大臣が国会答弁で新しい憲法によって「国体」は変わらないという主張を最後までつらぬき通したことについては、すでにふれた。それから七〇年後のいま、安倍首相らによって「国柄」と言い換えて「国体」は復活しつつある。その内容が、時代によって一様でないことは、既に見たとおりである。しかし、なぜ日本の支配層がこれほどまでに「国体」、すなわち天皇中心の国家に執着するのか？　そこには、どのような意味合いにしろ、天皇をすえることによって国のまとまりをつくり、統治を容易にできるという確固とした信念が支配しているのを見ないわけにいかない。天皇の軍隊と戦って勝利し日本を占領したアメリカ占領軍のマッカーサー司令官が、天皇制廃止を求める国際世論に抗して、天皇の退位にも反対し、天皇制の存続をはかったのも、天皇をのぞいて占領支配を円滑に行うことはできないと判断したからである。

そこで改めて問われるのは、近代日本において「国体」観念が国民を支配しつづけたのはなぜか、という問題である。もちろん、大日本帝国憲法、軍人勅諭、教育勅語などをつうじて、権力が国家祭祀や公教育、マスコミを最大限に活用して、上から徹底的に強要したことが最大の要因であることに間違いない。しかし、それを可能にしたのは、政府の宣伝や教育を、そのままの形ではないにしろ受け入れる条件が民衆のなかに存在していたからだと言わなければならない。それはなんだったのか？

一つは、幕末以来の尊皇思想が、列強の圧力にさらされ民族的危機に直面しながらこれに対する的確な対応をなしえない幕藩体制の矛盾と破綻、行き詰まりにたいして、それらを打破するあたらしい思想として、社会進歩をおしすすめる歴史的な役割をになったという事実である。時代錯誤の建国神話によろうと、「一君万民」という形ではあれ、列強の脅威に対して結束して対応するイデオロギーとして、また藩の割拠と閉鎖性、封建的身分秩序をのりこえる思想として、幕末から維新にかけて進歩的な社会的機能を発揮したことはまちがいない。そうした歴史的な役割についての共感と信頼が、人々の間に根づいてきた、その条件なしにはいくら権力が力でおしつけても、「国体論」を国民がうけいれはしなかったであろう。尊皇思想のそのような歴史的役割をきちんと認めることは、われわれがそれにたいして的確な対応をする前提となる。このことを強調したい。

もう一つは、「国体論」は一九三〇年代に形成された狂信的で極端なものばかりではないということである。『国体の本義』『国史概説』にみる天壌無窮の神勅による万世一系、万邦無比の「国体」、さらに「八紘一宇」といった誇大妄想的世界論は、戦後、少なくとも公の場からは一掃された。しかし、平泉や和辻の「国体論」、天皇観は生き残り、文部省などによって戦後むしろ積極的に復活させられ、教育などの場でも普及されてきた。そして、この「国体論」については、かならずしも的確な批判がなされ、克服されてきたとは言い難い状況にある。古代天皇制が存在し、これが形はどうあれ今日までつづいてきたという、他国にみられない日本の歴史があることも事実である。そして、幕末に尊皇思想が重要な役割をになったことも事実である。それらを承認した上で、「天皇中心の国家」というイデオロギーの欺瞞と非科学性、反民主的性格をきちんと分析し、批判し尽くすことが求められているのではなかろうか？　平泉澄はいうにおよばず、和辻哲郎や美濃部達吉の天皇観などはきちんと検討し直す必要があるのではなかろうか？

例えば和辻の場合である。この人は戦前、戦中の尊皇の考え方を、戦後も基本的に変えることなく堅持し通したばかりか、自説への若干の手直しで日本国憲法の象徴天皇制規定への支持を表明してきた。むしろ、国民の総意にもとづく象徴天皇こそ、尊皇思想本来のありかたにふさわしいとの見解を終生変えなかったのである。

氏によれば、「『すめら』は『すべる』『統一する』の意であり、『みこと』は敬語であるから、『すめらみこと』は、すべられるということを尊んで言ったことばである。今風に言えば統一の働きを人格化したものといえるであろう、とすれば『すめらみこと』は本来国民統合の象徴であったのである」（全集一四巻「国民統合の象徴」三六三）。氏は、「このことを我々は天皇の起源にさかのぼって論証することができる。天皇を生み出した地盤は原始社会における原始的な祭祀（ＣＵＬＴ）である。王の呪術的起源ということは世界に共通な事実であって、わが国に限ったことではないが、わが国では不思議なことにこの原始的伝統がさまざまのメタモルフォーシスを経つつ後の発展段階のうちに持続して行ったのである。ところで原始宗教の地盤から天皇が発生したということは、原始集団の人々が集団の生きた全体性を天皇において意識したということを意味する。……だから天皇ははじめから集団の統一の象徴であったということができる」（和辻哲郎全集第一四巻／岩波書店、三六三頁〜三六四頁）というのである。

氏によれば、原始社会の祭祀のうちに集団の統一者として呪術的な起源をもった天皇があらわれ、それが日本的特殊性としていろいろ変遷はあるにせよ、生き続け、人々の尊敬の対象となってきた、つまり日本社会の統合の象徴となってきたというのである。氏はこの意味で天皇崇拝、尊王思想を、宗教とも国家とも区別する。それが国家と一体になったのは古代の一時期に限られるのであって、それ以来一度も国家と一体であったことはない。

しかも、古代においては仏教によって理論づけられ、中世においては支配階級のなかでは影響力を失っていくが、物語や謡曲をつうじて民衆のあいだに広がり、それは伊勢神宮の信仰として広がっていった。徳川幕府のもとでは、儒教の王や理の思想によって幕府の支配思想にとりいれられはするが、本来の尊皇思想とは異質のものである。時代が下って古学、国学の台頭によって、その本来の姿が探求されるが、本居宣長さらに平田篤胤にいたって、神道として宗教化され、ここでも本来の姿から遠ざけられる。明治国家は天皇を主権者、「統治権の総攬者」とするが、これは本来、国民統合の象徴という意味であるべきで、天皇の独裁とか専決を意味するものではない。その意味では、軍部の暴走は本来の尊皇とは無縁のものである、と言うのである。

氏は戦前においては「国体」論者で戦争協力者であったが、少なくとも戦後は、自説をこのように説明している。天皇制について戦前のみずからの見解と戦後の象徴天皇制の間に本質的な違いを認めないというのが、氏の立場である。三島由紀夫をはじめ戦後の右からのナショナリズムが依拠する天皇中心の国家というイデオロギーも、少なくともこの和辻のような学説に一つの大きな拠り所を持っているように思う。和辻の尊王論にたいしては家永三郎氏らの批判があるにしても、いまなおきちんとした批判と清算がなされているとは言い難いのではなかろうか

現行憲法では、天皇は「国権に関する権能を有しない」ことが明記された。日本が君主制ではなく、国民主権の国であることは疑いを容れない。「国民統合の象徴」とされるもとで、現天皇は、フィリピンへの慰霊の旅など、安倍首相らとは過去の戦争に対するスタンスの違いをきわだたせている。その意味では、「国体」論を復活させ天皇中心の国家をとなえる安倍首相や自民党の主張はいかなる理もないアナクロニズムといわなければならない。にもかかわらず、自民党の改憲案が、現に天皇の元首化をはっきりとうたい、自民党が天皇を国の中心にすえてみずからの政治支配に大いに利用しようとする意図をむきだしにしているのをみるとき、天皇問題はいまなおおざりにできないとの感を深くする。日本においては、思想的にはいまもそれだけの歴史的重みをもつ問題だといえるのではなかろうか。この間、そういう問題意識から少し突っ込んで勉強してきたのだが、以上でひとまず筆を置く。

三

漱石と宮本百合子

没後七〇年、宮本百合子を読む

一、『道標』『伸子』（新日本出版社版全集第七～八、三巻）

今年は、宮本百合子没後七〇周年にあたり、『民主文学』が特集を組むなどしている。それでというわけでもないのだが、百合子の生前最後の大作となった『道標』を読み、大変感銘をうけ、つづいて『伸子』も読んでみることにした。筆者が百合子のこれらの大作をはじめて読むにはわけがあった。『風知草』『播州平野』などは若いときに読んだのだが、この作者特有の繊細でまとわりつくような粘着質の感性にとてもついていけず、評論は愛読したが、創作の方は長く敬遠してきたのである。ところが、八〇歳を過ぎて今回読んでみて、不思議なことに何の違和感もないどころか、文章の一行一行がみずみずしく躍動的で強く引き入れられるのであった。粗暴な感性しか持ち合わせなかった若いときの自分が、何十年かの間に成長し、百合子の文学を素直に受け容れるに至ったのかもしれないと、われながら驚いている。『伸子』に続いて『二つの庭』も読んでみようと思う。

『道標』は主人公の作家・伸子とロシア文学者の素子が革命後間もないソ連邦を訪れ、新しい社会の建設にいどむ民衆の沸き立つような活力がみなぎる中に二年間にわたって身をおき、ロシアの民衆に接するとともに、その後、ポーランド・ワルシャワ、ドイツ・ベルリンを経て、訪欧した伸子の家族とともにパリ、ロンドンに滞在する、そのすべての過程をたんねんに追想、記録している。百合子が帰国後、プロレタリア文学運動に参加し、宮本顕治と結婚、一二年におよぶ獄中・獄外での不屈たたかいをやりとげ、戦後、新しい出発の先頭に立つ、その基礎をつくりあげる画期となる作品である。

伸子らがソ連に滞在したのは一九二七〜二九年だから、すでにスターリンによる専制支配が始まっている。トロツキーらの追放、ブハーリン一派の粛清、強制的な農業集団化などである。ていねいに読むと、それらの影も作品には見出され、疑問も呈されている。しかし、外国からの訪問者として滞在する伸子らにとって、政権中枢部における政争や首都から離れた農村での事態はまだ深刻な問題として目にとまることなく、社会主義建設五ヶ年計画達成への取り組みなどで沸き立つ民衆の活気と解放の喜びに満ちた息吹こそ、新鮮な驚きをもってむかえられる。その後、訪れる西欧での貧困や貧富の格差、メーデーでの血の弾圧に象徴される労働者の権利抑圧、さらに西欧世界を襲う世界恐慌との対比においても、史上初めての社会主義建設へのとりくみに、若き百合子は魂の根底からの共感と自分のこれから生きる道へ確定的な示唆をうけとる。その後ソ連は、スターリン体制のもとで歴史の進歩からそれて転落の道を進む。だからといって、伸子が体験しそこで得た教訓が、歴史の進歩、労働者階級解放の道に沿ったかけがえのないものであったことは、何人も否定することはできない。

『伸子』は、一九歳の百合子が父と一緒にアメリカを訪れ、言語学者の荒木茂と出会い、周囲の反対を押し切って結婚し、破綻するにいたる凄惨なまでのいきさつを、家族、とりわけ母との確執を含めて文学作品として描きだしている。伸子は、一人の女性として情熱と意欲を存分に発揮し、伸びやかに生を全うしたいと心から願う、若き作家である。結婚した相手の佃は、苦労して育ち、年齢も伸子より一五歳上の、いわば世なれた成人で、古代ペルシャ語を専攻していて、アメリカ滞在も長い。伸子の父と知り合いで、ニューヨーク滞在中の不慣れな伸子父子がなにかと世話になる。そんなことから、次第に懇意になり伸子との間に恋が芽生えてゆく。しかし、結婚してみると、ごく普通の家庭生活を求める佃と伸子とは根本において生活態度、生き方の相容れないことが次第に明らかになっていく。夫婦の関係は、心理的に無惨に互いを傷つけ合う状態になり、父母特に母と家族とのあいだにもひびが入っていく。しかし、別れることもできずに五年間、地獄のような苦しみののち、離婚に至る。その微妙で複雑ないきさつが、なまなましく、深い陰影をもって読者の胸に迫ってくる。百合子という作家の並々ならぬ感性と内省をふくむ鋭い観察力、研ぎ澄まされた理性を感得せざるを得ない。

この時代の日本では、こうしたテーマは家父長的な家庭での家父長としての男性の横暴な召臨・支配とそのもとで抑圧されて苦しむ女性といった内容のものが圧倒的に多いのではなかろうか？　この点で、『伸子』はちょっと次元を異にする。なぜなら、伸子自身が、イギリス留学の経験を持つリベラルな父にみるように、比較的裕福な家庭に育つ、自由で自立した人間であるのはいうまでもない。相手の佃も、長くアメリカで暮らしており、この時代の日本男性に一般的な家父長的性格とは無縁の男である。そのことは、結婚の約束をするにあたって、伸子が「それでも、仕事はすてられなくてよ。それだけはできない。……万一、それを止めなければならないなら、……左様ならするしかない」と迫るのに対して、次のように答えていることからも明らかである。

「そんな心配こそ無用です。……あなたが大切に思っているもののあるのは判っています。仮にもあなたを愛している者が、どうしてそれを捨てろなどと言います！　……私は自分をすててでもあなたを完成させてあげたい、と思っているほどです。」佃は、伸子の生き方を認め、それを全うするためには、必要なら自分が犠牲になる覚悟だ、とも誓う。そして、伸子が実家に足しげく出入りしようが、旅に出ようが、いっさい干渉がましいことは言わない。そういう意味では、当時の社会的時代的制約はあるにしても、いわゆるジェンダー平等を認め、容認する、当時としてはめずらしい男でもある。ただ、伸子の求める愛、情熱、意欲、向上心とは次元の異なる、平凡な家庭とその主婦しかその頭には存在しない。したがって、この夫婦の愛と家庭の破綻は、封建的家父長的家族、男の支配による女性の犠牲、女性の自立といった次元には収まらない問題をはらんでいると言えるだろう。それは、いわばジェンダー平等を基本的に前提にしたうえで、それを土台にさらにその上にどのような愛と家庭を築くかといった、より次元の高い問題を内包しているといえるのではないか。伸子が求めるのは、両性の平等と自由、自立を当然の前提として、そのうえにお互い切磋琢磨し、励まし合い、情熱と向上心を高め合い、共通の目標に向けて果敢に挑むような、そういう燃えるような愛であり、夫婦である。伸子のこのレベルからみると、凡庸で実直なだけで社会的常識の枠を一歩も出ない佃はとうてい伸子の望みに応えることはできない。ここにこそこの夫婦の破綻の最大の原因がある。この作品を今日わたしたちが読んでいささかの古さも感じさせず、新鮮に受け止められるのは、その主題がいわゆるジェンダー平等という地平を超えた、愛と家庭をめぐるより高次の新しい問題を提起しているからではなかろうか。それが私の実感である。

二、『二つの庭』『播州平野』『風知草』（全集三巻）

今年は宮本百合子没後七〇周年にあたることから、『道標』『伸子』を読む機会があったので、つづいて『二つの庭』にとりくみ、さらに再読になるが『播州平野』『風知草』にもいどんだ。『播州平野』『風知草』は、第二次大戦が日本の無条件降伏によって終結した翌四六年に発表されている。前者は、敗戦によって夫の重吉（宮本顕治）が北海道網走監獄から釈放される可能性が生まれたので、主人公のヒロ子が疎開先の福島から夫を迎えるため困難をのりこえて網走へ渡ろうと手を尽くしているところへ、山口県にある夫の実家から出征して広島に駐屯していた夫の弟が原爆投下で生死不明、絶望との知らせが届くところから始まる。夫の名代としてなんとしても駆けつけなければと決意するヒロ子は、戦災で鉄道の運行もとだえがちで、座ることもままならないすし詰め列車で東京に戻り、あらゆる困難を排して東海道線から山陽線へとズタズタに分断されている鉄道を乗り継いで、夫の実家へむかう。

敗戦直後の文字通り廃墟と化した本土を東から西へと縦断したことになる。そしてやっとたどり着いた夫の実家では、夫の母と亡くなった弟の妻と子供たちが、心の支えを失った状況のもと、不安で緊張した日々を送っている。そこへおり悪く大型台風が来襲し、夫の実家は床上まで浸水、これまでに経験したことのない被害を受ける。その対応に追われるヒロ子に、願いに願っていた治安維持法撤廃の報道がとどく。一二年におよぶ獄中生活から解放された夫を迎えるために、なんとしても東京に戻らなければならないと、意を決したヒロ子は、水害で鉄道がずたずたになっていることをも承知で、帰京の途に就く。そして、戦災で廃墟と化し、台風による惨禍をこうむった播州平野を、寸断された超満員の列車と徒歩、たまたま通り合わせた馬車をのりついで大阪へ、さらに東京へと旅する。

戦争の終結と悪の根源である治安維持法の撤廃が実現し、出獄する夫を迎えるための本土縦断、そこでヒロ子が目にする戦争による国土の完全な荒廃の実態、それらをつぶさに描きだしたこの作品は、日本の敗戦をもっともリアルに、本質的に描きだした記念すべき傑作といえるであろう。宮本百合子ならではの記念碑的作品といえる。

『風知草』は、釈放された夫、重吉と一二年ぶりに一緒の生活をはじめたヒロ子が、戦後の新しい条件のもとで夫とともに活動を開始する、そのありさまを描き出している。ヒロ子と重吉が結婚して一緒に生活したのは、数か月にすぎない。夫が捕らえられ、ヒロ子もたびたび拘留され、獄中で熱射病にかかって瀕死の状態で運び出されるという体験もしている。ごく短い時間の面会と検閲を前提とする手紙のやり取り以外に、二人をむすぶものは皆無であった。釈放された同志たちを中心にした新しい活動に参加する二人にとって、毎日お弁当を作って一緒に食べたり、同じ電車にのるといった普通の人のあたりまえの日常生活が、新鮮で初々しくもあった。ある日電車の中で重吉が突然、「ヒロ子に、なんだか後家のがんばりみたいなところが出ているんじゃないか」という。この言葉にヒロ子はショックを受け、憤り、深く傷つくとともに、長年の苦闘の中でそういう面が自分に生まれていることを否定できないこと、そして、こういう指摘をしてくれるのは夫以外にありえないことを悟り、感謝の気持ちをいだくのである。こうした夫婦間の心の機微をふくめて、二人の新しい出発が描かれている。これも不屈のたたかいのうえにのみ開かれえた戦後の新しい希望と可能性を象徴する、百合子だけが描きえた作品である。

『二つの庭』は、一九四七年、つまり前二作の後に書かれた作品である、年代的には『伸子』と『道標』との中間に位置する。つまり、百合子の最初の結婚とその破綻をテーマにした『伸子』のあと、素子と一緒に革命一〇年のソビエトに赴きそこでの体験を描く『道標』(書かれたのは『二つの庭』の後)とに挟まれた時期、結婚の破綻で落ち込む伸子がロシア文学者の素子と知り合い、二人で共同生活をはじめ、ソビエトへ出発するまでをあつかっている。一九二〇年代、自立した女性が二人で共同生活をすること自体がまだめずらしかった。その意味でも、斬新な時代を先駆けたテーマと言えるであろう。素子は細やかな女性らしい感性と身のこなしを身上としながら表面は男のような口の利き方をする人で、ひろ子よりいくつか年上である。この二人の生活そのものが、なかなか興味深いのだが、ここでヒロ子は、当時のプロレタリア文学運動の台頭やアナボル論争(アナキストとボリシェビキ=共産主義の論争)に接し、また芥川龍之介の自殺に多大なショックを受ける。高等学校に通う弟をつうじて当時の学生のあいだでの政治論争などにもふれ、社会的な問題に少しずつ目を開いていく。ソ連訪問を決意したヒロ子がブハーリンの『史的唯物論』(戦前よく読まれた科学的社会主義の入門書)を読むのも、その一環である。百合子の思想的成長の過程を教えられる作品である。

百合子は、獄中の苦労もたたって一九五一年に五一歳で病死する。ソビエトから帰国してからプロレタリア文学運動への参加、夫の長い獄中闘争とその支援、戦後の新しい出発と日本の民主的再生へのたたかいと、百合子が書こうとしてはたせなかった課題は多い。『道標』以降、これからが本番であっただけに、その早死には惜しまれる。

三、『獄中への手紙』（全集第一九巻〜二二巻）

昨年が宮本百合子没後七〇年で『民主文学』などで特集が組まれた。この機会にと、主要な創作を読み返してきたが、その続きで遅ればせながら今回初めて『獄中への手紙』全体に目を通した。一二年にわたって一〇〇〇通近く、全集で四巻、二六〇〇ページ余におよぶ膨大なものである。百合子は、一九三〇年一一月にソ連滞在から帰国して過酷な弾圧下にあったプロレタリア文学運動に参加、一九三二年二月に宮本顯治と結婚するが、一緒に生活したのはわずか二ヶ月、同年四月には宮本が地下にもぐることを余儀なくされ、翌年一二月には逮捕され三四年末まで消息さえわからなくなる。ようやく市ヶ谷刑務所に拘留されていることがわかり、連絡が取れたのは三四年一二月である。以来、度重なる百合子自身の逮捕、勾留の期間をのぞいて、一二年間にわたって獄中の夫と交わした手紙である。それも、厳重な検閲下で政治的なことはもとより時局に触れるような記述はいっさい禁じられているもとで、差しさわりのない日常的茶飯事におりこんでたがいの意思を伝えるしかないという制約のもとでの書簡の交換である。

文学をふくめ民主的な運動、団体がすべて弾圧、消滅させられ、支援する人もごく限られ全く孤立した状況の下で、夫は治安維持法違反にとどまらず殺人罪まででっちあげられ、極刑はもとより、いつ命を奪われるかもわからない状況に置かれている。それどころか、百合子自身、三二年九月の初逮捕をはじめ度々検束され、長期にわたる拘留中に父と母が亡くなるという不幸に遭遇、三六年二月には父の葬儀出席のため仮釈放されるものの、四一年一二月八日の太平洋戦争勃発とともに、ふたたび予防拘禁され、七月末、熱射病で人事不省になって搬出されるという過酷な状況に追いやられる。獄中への手紙は、そうしたなかで書かれ続けたのである。そこには、百合子という女性の偽りのない生きざまと人間性、比類なき豊かな真価が体現されていて、深い感動を呼ばずにおかない。

まず驚かされるのは、一二年間の手紙全体をつうじて、想像を絶する過酷な状況のもとで、絶望的になったり焦ったり、悲観的になるといったことがまったくないということである。三日と言わぬ間隔で書き続けるどの手紙にも、夫と心を通わせることへの喜びとうれしさがあふれ、幸せをかみしめているようすが、生きいきと伝わってくる。ふたりが置かれている状況を考えれば、これは想像を絶する事であり、稀有なことといわなければならない。しかも、一通いっつうの手紙を通して、お互いの愛情をたしかめ、それが確実に膨らんでいくことを実感し、生きることの意義と喜びを深く認識していくのである。その根本にあるのは、二人の生き方とたたかいが、どんな障害と妨害にはばまれようと、歴史の進歩と大儀にかなっているという確信である。

さらに敬服させられるのは、手紙のやり取りを通じて、人間として、作家として、日本共産党員としてさらなる向上、進歩をなしとげようという、積極的で旺盛な意欲をはぐくんでいる事である。宮本に勧められて、マルクスの『資本論』をはじめとする科学的社会主義の古典を計画的に学び、そこから作家としてもさらなる成長の糧を吸収しようとしているのもその一つである。不規則で気ままな生活から脱却して健康に留意し規則的な生活をするよう努力し、たがいに激励しあっているのも微笑ましい。また、翼賛文芸協会の出版活動に作家としての社交上のつきあいとして作品提供を承諾したことにたいして、宮本からきびしい批判と警告を受け、最初は反発しながら反省して撤回するに至る経過なども、生々しく知ることができる。

一九四四年になって病気で中断していた宮本の公判が開かれ、そのすべてを百合子は傍聴する。そこで殺人罪まででっちあげられたスパイ査問事件（特高が送り込んだスパイ小畑を宮本らが摘発し、査問中に小畑が心臓麻痺をおこして死亡した事件）について宮本が陳述し、百合子は初めてその全容を知る。私見を交えずありのままの事実を再現してみせる宮本の冷静な陳述とその悠然とした態度に、新たな尊敬とともに、深い感銘を受けた百合子は、その感想を率直に手紙にしたためる。それは、彼女にとってこれまで経験したことのない深い感動と喜びであった。

「二日の帰り道、わたしは疲れたのと感銘に打たれたため、よそめにはすこしぼんやりとした風で、しきりに考えました。人間が幸福を感じる奥ゆきは、いかに深いものか、云いかえれば、ある人を幸福にしてやる、ということには、いかに、ピンからキリまでその方法があるか、ということについて。自分はすこし大きくなって以来、いつも生きる甲斐ある生き方をしたいと思いつづけていました。（中略）私はその願望が、勿体ないように叶えられているのを感じました、自分自身の力には叶わない望みが、叶えられて与えられてあるということに驚嘆しました。自分というものは、極厳密に云って、願うだけの生きがいを創り出してゆくには、ちいと力が不足して生まれついていると思います。勇気が足りないのか、頭の堅木のように美しい木目が悪いのか、ともかく残念ながら、私に出来ることは、非常によく感じ、理解し、それによって、そこから何か人間的集果を生み出してゆく、ことだと思われます」（四四年九月七日）「この夏を通し、それから秋へかかり、この頃になるまでに、わたしの一生にとって二度とない収穫と成長の一時期が経過いたしました。

この期間に、私が学びとりいれたことは、あらゆる読書、執筆で代えられないものだと思っています」（同一一月一九日）。こう記す彼女にとって、宮本の公判での陳述は真実とその力とは何か、作家として現実にどう向き合うべきかを、何よりも雄弁にものがたり、教えてくれるかけがえのない教材であったのである。

百合子が、獄中の宮本の生活と健康に細かく気を配り、衣類から寝具に至るまで手配し、自分たちの口にも入らなくなっていく卵や牛乳、ビタミン剤を差し入れ、宮本の求めに応じて書籍を購入して送り、弁護士との連絡、他の被告たちをふくむ公判調書の複写などの膨大な実務をこなしていることも、特筆しなければならない。その費用もすべて百合子の負担である。百合子のこのような献身なくしては、宮本の獄中生活も公判闘争もあり得なかったことをおもうと、この時期に百合子の果たした役割は計り知れないものがある。

日本の敗戦が迫り、米軍機による連日の空襲で東京が廃墟と化し田舎へ避難する人が絶えないなか、百合子は危険を冒してとどまり、面会と差し入れをつづける。一九四五年六月、宮本に無期懲役の判決がくだる。そして身柄は北海道の網走刑務所に送られる。百合子はいささかも迷うことなく、ただちに網走に移住し宮本の獄中闘争を支援しつづける決心をして、福島の祖父の家に滞在してその具体化に全力をあげる。しかし、交通も遮断され、鉄道の乗車券も手に入れることもできずにじりじりしているもとに、出征中の宮本の弟が八月六日の広島への原爆投下の犠牲になるという報がとどく。八月一五日の敗戦を挟んで百合子は、宮本の母や弟の妻と子供たちを支援するために福島から山口県島田へ何日もかけて駆けつける。そして一〇月、宮本釈放の報がとどき、急遽宮本を迎えるために敗戦直後の日本列島を決死の強行軍でひきかえす。『播州平野』の世界である。釈放された日本共産党員らによって民主日本建設への新たな出発が開始される。その先頭に宮本顕治と百合子の姿があった。『風知草』の情景である。

今回、『獄中からの手紙』」を通読する機会を得たことは、わたし自身にとってもかけがえのない収穫であった。これまでの人生をつうじてほかでは認識するにいたらなかった人間の尊厳と崇高さ、愛情の深さと力に、直接ふれることができた感動と喜びを、ここに公にしておきたいとおもう。

続編の文学
——漱石、ドストエフスキー、百合子

文学作品のなかには、読み終わったあとにそのストーリーの続きを想像したり、自分で紡ぎ出してみるという読み方のできるものがある。これも作品の楽しみ方の一つといってよいであろう。とくに作品が未完で終わっていたり、あるいは作品としては完結しているが、主人公の生涯はまだまだ続くというような場合には、そうした読み方は当然のなりゆきといってよいであろう。私が比較的最近読んだ作品のいくつかについて、自身の感想を含めていくつかの事例を紹介してみよう。

一、漱石『明暗』の続き

まずとりあげたいのは、夏目漱石（一八六七年～一九一六年）の『明暗』である。周知のように、漱石の絶筆となった『明暗』は「朝日」に連載中作者の死によって未完のままで中断している。主人公、津田と妻

のお延の微妙な関係が主題だが、二人の夫婦仲がいま一つしっくりいかないのは、津田が津田をみかぎって友人の関に嫁いだ清子をあきらめきれない想いをのこしているからである。そのことを感づいている仲人の吉川夫人が、清子が静養のためある温泉宿に滞在しているので、痔の手術をしたばかりの津田に療養を口実に彼女を訪ねるようそそのかす。そこで、会ってけじめをつけて来なさいというわけである。津田は、吉川夫人の勧めにしたがい妻のお延に無断で、彼女の滞在する温泉宿に赴く。ところが、かつての恋人に再会するとけじめをつけるどころか、あらためてその魅力のとりこになる。さて、津田と清子の関係はその後どうなるか、という肝心かなめのところで、話は中断している。漱石はその先をどう展開させるつもりだったのか、『明暗』を読んだ読者なら一度は考えずにおれない。

たまたま書店で見つけたのであるが、なんと漱石になりかわって『明暗』の続編を書いた人がいたのである。水村美苗さんの『続明暗』(筑摩書房、一九九〇年)である。それも漱石の思考方法や文体をよく研究し身につけて、漱石ならこう書くであろうという筆致で描きあげたのだから、並みの才人ではない。なかなかよく書けていると感心させられる。『明暗』を比較的最近読んで、自分ならこのあとどう書くであろうかと、頭の中で何度も吟味していただけに、その才能におどろかされた。少女時代にアメリカへわたり、現地になじめずに自室にこもって持参した日本の近代小説を読み漁った経験をもち、大学でフランス文学をまなび、アメリカの大学で日本文学を教えるという作者の経歴も、なかなかユニークである。この人の日本語についての著作(『日本語が滅びるとき　英語の世紀の中で』(筑摩書房)を読んだことがあるが、国際的視野からのなかなかの見識に感服した記憶がある。

さて『明暗』の続編はどう展開するか? 津田の表向きの目的は、なぜ自分を見捨てたのか清子にその真意をただし、納得したいということだったのだが、一つ宿に滞在して清子に接するにつけ、それにとどまらない感情に支配される。しかし、そんな気持ちに負けているわけにはいかない。やはり踏ん切りはつけなければならない。宿で懇意になった夫婦客が帰った日、津田は思い切って清子に面会を申し入れ、自分との関係をなぜ断ったのかをただす。清子の回答は、「あなたは最後のところで信用できない」という。そして、お延がいるのにこんなところへ来ること自体、まじめではない、とズバリ津田の一番痛いところをつく。

一方、お延は、なぜ夫が自分をおいてひとりで療養にいったのか、疑心暗鬼のところへ、吉川夫人が訪ねてきて、津田の過去のこと、温泉行の真意などをばらして、妻として冷静に対応するよう諭す。吉川夫人としては、お延にたいする教育のつもりでもあったのかしれないが、プライドが高く勝気なお延は、これ以上にない屈辱と夫の背信に対する絶望に襲われる。そして、嵐の中を猛然と夫のいる温泉宿へとむかう。そのことがたちまちのうちに親戚など周囲に知れて、心配した叔父が津田の妹と、友人の小林という男にお延を追わせる。

温泉宿で津田が清子と肝心の問題をめぐって真っ向から対峙している現場に、お延が姿をあらわす。お延の目には、津田と清子が密会して親密に語り合っているとしか映らない。最悪の事態に直面したと直感して激高するお延と、そのお延を扱い兼ねて途方に暮れている津田のもとに、妹のお秀と小林が駆けつけてくる。普段から兄を快く思っていないお秀は、猛然と津田をなじる。こうして、宿の一室は修羅場に変じる。

翌朝、お延は近くの滝に飛び込む決意で朝早くひとり宿をでる。お延の失踪に気づく宿では当然大騒ぎになる。わるいことに、津田は痔疾の手術痕が出血して起き上がれなくなる。お延は、滝つぼに身を投げる一歩手前でおもいとどまり、無心に山のなかを彷徨するうちに山頂にでる。そこからは「一眼で百里の遠く迄、透かされた」「朝日は透き撤ってお延の足元迄届いた」。ここで、お延はこれから先どこへ向かうかはわからないが、生きる決意をする。こんな筋書きで、話は終わる。

漱石がはたしてどんな筋書きを考えていたかはわからない。しかし、考えうるもっともドラマチックなストーリーであることは事実だろう。津田という打算的だがにえきらない男としっかりした意思をもちプライドが高く一本気なお延との確執をつうじて、漱石がなにを言いたかったのかはわからない。水村の続編も、その点では変わりなく今一つ物足りなさは残る。

二、漱石『「坊ちゃん」のそれから』

夏目漱石の代表作『坊ちゃん』は、愛媛の中学校に赴任した坊ちゃんが、教頭の赤シャツらの所業に義憤をつのらせ、同僚の山嵐とともに鉄拳を食らわせ、辞表をたたきつけて帰京するところで終わっている。坊ちゃんはその後、市電の技手となって女中の清とともに暮らすとだけ記されている。その後編を書いたのが、芳川泰久『「坊っちゃん」のそれから』(河出書房新社、二〇一六年一〇月)である。作者は、一九五一年生まれ、仏文学者で早稲田大学の教授(当時)。『ボヴァリー夫人』などの著書がある。

それにしても奇想天外のストーリーである。新橋駅で山嵐と別れた坊ちゃんは、不動産屋に勤めたのち印刷工になるが、目的もなく酒を飲み、吉原におもむく。そこで、目をとめたのが、なんと愛媛で婚約者を振って赤シャツになびいたマドンナである。通いつめて事情を聞くと、父の事業が失敗して多額の借財をかかえ、赤シャツにも逃げられて、吉原に身売りしてきたとのこと。

一方、山嵐は、坊ちゃんと別れ際に遭遇したスリを取り押さえる。そのあと、親戚の牧場を手伝ったのち、群馬の富岡製糸場の寮監に就く。そこで、女工たちに読み書きを教えたり、悩みごとの相談に乗ったりしているなかで、待遇改善のストライキが勃発、その中心となった少女とともに、ストを扇動した陰の首謀者として馘首される。少女はその後実家の借金の肩代わりに、身売りして娼妓になったという。正義感の強い山嵐は、少女を探し出して救うために遊郭を捜し歩き、吉原へおもむく。そこで、例のマドンナに遭遇。マドンナを身請けし救出するために、新橋での事件が縁で知り合ったスリの伝手で、本職のスリになる。山嵐は同時に、社会主義者の片山潜と出会い、社会主義運動に接近する。そして無政府主義者の幸徳秋水に心酔するにいたる。スリで稼いだ金でマドンナを救出した山嵐は、念願の少女を探しに歩き回る。吉原でようやく発見するが、少女は重い労咳にかかっていて、余命いくばくもない。山嵐は救出が遅れたことを悔やむ。

吉原からマドンナが姿を消し、気落ちした坊ちゃんは、印刷工もやめて、市電の運転手になり、清と一緒に暮らすが、清は間もなく亡くなる。時あたかも日露戦争のさなか、戦勝に湧きたつ東京市民は、ポーツマス条約の屈辱に日比谷焼き討ち事件で応える。暴徒に市電を焼かれた坊ちゃんは、市電をあきらめなんと刑事に転身。一方、山嵐は、幸徳秋水らによる大逆事件にまきこまれ、あわや連座して死刑にもなりかねない状況に追いやられる。刑事の坊ちゃんは、スリ犯として山嵐を逮捕し身柄を拘束することによって、大逆事件への連座から山嵐を救う。そして、四年の刑期を終えて出獄する山嵐を坊ちゃんとマドンナが迎えるところで、『「坊ちゃん」のそれから』は終わっている。

水村美苗さんの『続　明暗』は、語り口も漱石そっくりでなかなかの出来栄えだったが、この作品はやはり学者の書いたもので、漱石特有の講談調や歯切れのよさなどは期待できない。むしろ、二〇世紀初めの日ロ戦争を前後する東京の世相を資料にもとづいて丹念に紹介するところに、作品の力点が置かれている。しかし、平民社から大逆事件にいたる日本における初期社会主義運動に、山嵐をつうじてだが舞台を設定したのは、なかなかの着眼といえよう。「坊ちゃん」に続いて書かれた中編「二百十日」にみるように、漱石は日本で始まった社会主義運動に浅からぬ関心を抱いていた。そういえば、イギリス留学中にマルクスの文献にも接している。作者が、片山潜や幸徳秋水の社会主義運動、日露戦争への反戦運動とのかかわりという設定をしたのは、「坊ちゃん」の主人公らの正義感からすれば、まっとうななりゆきといってよかろう。山嵐を獄に閉じこめて救うというくだりは、たまたま獄内にいて大逆事件への連座をまぬかれた大杉栄を下敷きにしているかもしれない。ただし、マドンナを吉原の娼妓にしたのは、ちょっとやり過ぎではないか。しかも、そこへ通う男の一人に、「墨東奇談」の永井荷風を登場させたりしているのも、どうかと思う。しかし、『坊ちゃん』の続編を実際に書きあげた努力には大いに敬意を表したい。

三、ドストエフスキー『カラマーゾフの兄弟』の場合

ドストエフスキー（一八二一〜一八八一）の代表作である『カラマーゾフの兄弟』は、作者自身が続編を書くつもりであった。そこでは、三人兄弟の一番下のアリョーシャが革命家に成長して皇帝暗殺を企てるとの予告的暗示もある。著名なロシア文学者で東京外語大学の学長も務めた亀山郁夫氏がこの作品の新訳を刊

行したのを機に、私も改めて読み直した。若い時に読んだ理解の浅薄さを恥じるとともに、この作品の奥深さに改めて認識を新たにさせられた。続いて亀山氏が大長編作『新カラマーゾフの兄弟』(上下、河出書房新社、二〇一五年)を書いて話題になった。私はてっきり『カラマーゾフの兄弟』の続編をお書きになったのかと思ってさっそく購入して読みだした。ところが続編というのは私の早とちりで、そうではなく、一九九五年の日本を舞台にした現代版『カラマーゾフ兄弟』であった。原作同様に父親殺しがテーマで、黒木ミツル、イサム、リヨウという三人の兄弟と、この家族の一員のように育った須磨幸司という青年の物語である。もちろん、父の黒木丙午は、原作のフョードル、兄ミツルはドミートリ(ミーチャ)、次男のイサムはイワン(ワーニャ)、三男のリヨウはアレクセイ(アリョーシャ)と、原作の登場人物をそのまま連想させる。こうした趣向も文学の一つのこころみであるから、私の誤解ついでに、ここで取り上げておきたい。

原作の舞台が一九世紀のロシアで不穏な世紀末へ向かう時代であったのにたいして、一九九〇年代半ばの日本は、オウム真理教徒による地下鉄サリン事件、弁護士一家殺害事件、あるいは阪神大震災とやはり世紀末的様相の濃い時代である。三兄弟の父丙午はホテルなどを経営する実業家、長兄のミツルはやはり実業家で輸入雑貨などを扱っているが、一人の女性をめぐって父と諍う。次兄のイサムは医師で開業資金を求めている。須磨幸司とは特別に親密な関係にある。リヨウは外大でロシア語を学ぶ。フクロウの里という新興宗教まがいのコミュニティに打ち込み、嶋省三というそこの指導者を崇拝している。こういう設定なのだが、原作と異なるのは、これらの登場人物のほかに作者の分身と思われるKという東京外大の教授が登場し、黒木家の人々と接点をもちつつ、物語に介入してくることである。

黒木兄弟の母は、一三年前に謎の自殺をとげ、それから間もなく父が自宅の風呂場で変死体となって発見される。当然のように長兄のミツルが犯人ではないかと疑われて、警察の厳しい取り調べをうけるが、確たる証拠がなく、父の遺体は事故死として処理される。しかし、イサムも、リヨウも、父の死を他殺と考えている。父が何者かによって脅されていた形跡もあり、イサムは幸司が犯人ではないかと疑っている。こんな筋書きは原作とつかず離れずである。

リヨウはロシア文学が専攻ということもあり、ソ連崩壊を前後してロシアに出入りしている。当時オウム真理教がソ連に浸透しておったり、リヨウがソ連の異端派などと関係をもっていたことから、リヨウは公安警察につけられ、脅かされてもいる。リヨウが信奉している嶋省三は、以前日本共産党員だったという事情もこれに加わる。こうした人間関係のもとに複雑に入り乱れたストーリーが、原作同様の長々とした思わせぶりな暗喩や毒舌たっぷりの独白などをはさみながら、延々と繰り広げられていく。そのなかでは、父親殺しの謎がフロイド的な心理分析も踏まえて執拗に追及される。また、霊感のある宗教的人間であるリヨウやその師匠の嶋をとおして、宗教問題も一貫したモチーフとして貫かれる。神の存在は原作でも主要なテーマの一つであった。

リヨウのかかわるフクロウの里は、宗教団体であるとともに里山運動のコミュニティでもある。自然破壊も原作には見られない一つのテーマである。作中では、日本共産党がところどころに顔をだす。作者の強い関心をしめしているのだが、それが何を意味しているかははっきりしない。哲学的で神秘主義的な語り口に魅かれて一五〇〇ページにおよぶこの大長編小説を読み切ったが、作者のいわんとするところはいまひとつ理解しかねるというのが、私の率直な感想である。原作の場合は、キリスト教の信仰と倫理といった問題が一貫したテーマだが、現代日本においてはそうした宗教的課題は、一般的ではないので、どうも話がかみ合わないような印象を受けるのは、私だけであろうか？　ドストエフスキーの大作の現代版という大胆な試みであり、その挑戦には敬意を表したい。

ところで『カラマーゾフの兄弟』には、文字通りその続編と称する作品が実は一冊ある。高野史緒『カラマーゾフの妹』（講談社、二〇一二年）である。第五八回江戸川乱歩賞を受賞した作品で、作者はお茶の水女子大大学院を卒業した女性である。『ムジカ・マキーナ』『アイオーン』『赤い星』といった作品もある。

カラマーゾフの兄弟には実はもうひとり、妹が存在したという設定で、警察官僚に出世した次男のイワンが郷里に戻ってきて、兄のドミートリが犯人とされた父親殺しの真犯人を突き止めようと試み、父の墓を掘り起こして遺骨を調査する。遺骨には殺された時に受けた骨の損傷があり、その傷跡を精査することによって、どういう凶器がどういう角度から使用されたかがわかり、真犯人を特定できるという。この捜索には、帝国科学アカデミー会員で心理学者のトロヤノフスキーという人物が協力する。事件をかぎつけたゴシップ屋のラチーキンも、イワンにまとわりつく。

一方、長兄のドミートリは流刑地で事故にあって死亡したことにされ、三男のアレクセイは模範的な教師になって、子どもたちや親から信頼されているのだが、皇帝暗殺をくわだてる革命的テロ組織の一員になっている。父と兄が争った相手の女性グルーシェンカもその一味になっていて、奇想天外に話が展開する。イワンは多重人格者、アレクセイはフェティシストといった原作にない性格づけも新たにおこなわれている。

原作は、カラマーゾフ家の血を引く三人の兄弟それぞれの性格と個性、その生き方と世界観の違いが、人間の複雑さと深淵をともなって壮大な世界をつくりだしているのだが、この作品はもっぱら謎解きに走り、サイコデリックな推理小説としては面白くできているものの、原作のような文学作品としての深みには欠ける。しかし、意欲的な作品には違いないので紹介に値しよう。

四、宮本百合子の場合

これまで見てきたのはいずれも個々の作品の続編ないし現代版についてであるが、作者自身に生き続けてなんとしても続編を書いて欲しかったと特別に惜しまれる作家がいる。その筆頭にあげたいのが獄中での過酷な生活がたたって、五一歳という若さで生涯を終えた宮本百合子（一八九九年～一九五一年）である。

一七歳で書いた「貧しき人々の群れ」で作家としてデビューした宮本百合子は、最初の結婚生活の破綻をえがいた長編『伸子』（一九二一八年刊）を書いたのち、ロシア文学者の湯浅芳子と何年か共同生活をし、その後一九二七年に二人でモスクワに赴き二年間滞在する。そこで、ロシア革命直後のまだスターリンによる変質前のソ連における解放された人々の活気あふれ希望に満ち沸き立つような現実に直接触れて、自分の立ち位置と作家としてのはっきりした目標をつかんで帰国、最も困難な時期のプロレタリア文学運動に参加し、作家としての新たな出発をする。非合法の日本共産党に入党し、三二年二月に九歳年下の宮本顕治と結婚するが、二カ月後には宮本が地下生活に入り、三三年一二月に逮捕される。その後、一年間にわたって消息不明で、連絡が取れ、接見や手紙の交換が可能となるのは三四年末であった。それから彼女自身の逮捕、長期にわたる再度の拘留、その間に母と父が死去するという不幸にも見舞われながら、日本の敗戦と宮本の解放まで一二年間にわたって天皇制権力の非道な弾圧に抗しながら夫の獄中闘争を物心両面で支援して不屈にたたかい抜く。
戦後、民主日本の再建と民主的文学運動の先頭に立ち、そのなかで、湯浅との共同生活の体験を描いた『二つの庭』とソビエト滞在時代をテーマにした『道標』という二つの大作を世に出した。戦前に書いた『伸子』と合わせてこの三作が百合子の代表作であることにだれも異論はあるまい。

しかし、『伸子』と間をおいて戦後書かれたこの二作は、自分の立ち位置と目標が明確になった一人の成長した作家として彼女が書こうとしていた本来の課題からすれば、いわば助走段階に位置づけられるものであった。彼女が何よりも書きたかったのは、きびしい弾圧下のプロレタリア文学運動への参加とそこでの作家としての活躍、夫との出会いとみずからの成長を描く作品、つづいて一二年にわたる夫の獄中闘争を支えともにたたかい、そのなかで、作家として人間として、さらに日本共産党員として、目ざましい進歩をとげ、苦難をのりこえて愛情をはぐくむ互いの交流をつうじて、この未曽有の激動と破局にいたる時代と社会を描き出す作品である。これには二巻が予定されていた。

一九四九年に『二つの庭』のあとがきで百合子は次のように書いている。「『伸子』以後の仲子がめぐり合った現実は、一家庭内の紛糾だけではなかったし、恋愛と結婚に主題をおいた事件の連続だけでもなかった。一九二七、八年からあとの日本の社会は、戦争強行と人権剥奪へ向って人民生活が逆おとしにあった時期であり、そこに生じた激しい摩擦、抵抗、敗北と勝利の錯綜こそ、『伸子』続編の主題であった」（全集第一八巻、三七六頁〜三七七頁）。また「『道標』を書き終えて」と題する文章では次のように述べている。「長編として『道標』三部は終わったけれども、まだ先に凡そ三巻ばかりのこっている」「『道標』は中途の一節である」（全集第一九巻、三七九頁）と。

この三巻については表題も決まっていた。『春のある冬』と『一二年』上下である。前者は、日本に帰ってきた伸子がプロレタリア作家同盟に参加しそこで石田重吉（宮本顕治）と出会い、結婚、作家同盟が弾圧され、重吉が非合法活動に移って検挙にいたる、そしてみずからも検挙される、そうした時代とたたかいを描くものであったろう。後者は、太平洋戦争をはさむ一二年間の日本の社会と獄の内外を結ぶ重吉と伸子のたたかいそのものを描くつもりであった。このように宮本百合子という作家は、治安維持法違反だけでなく殺人犯という罪を着せられて一二年間獄中に閉じこめられて不屈にたたかい抜いた夫とともに生き、あらゆる苦難をのりこえてたたかいぬき、その中で成長したみずからの稀有な体験にもとづいて三〇年代から四〇年代の日本社会を本格的に描き出そうと決意し、そこに生涯をかけようとしていた。そして、それをなすことのできないまま没してしまったのである。その最大の原因は、非人道的で不当な検挙、長期に再三にわたる劣悪窮まる刑務所への拘禁であった。

一九九一年一月二一日に宮本百合子没後四〇周年記念の夕がひらかれ、「『道標』と『道標』以降――百合子は何を語ろうとしたか」と題して不破哲三氏が記念講演をおこなった。そこで不破氏はつぎのように語っている。「『道標』第三部を、日本に帰って自分自身の『生活の歌』を歌おうという伸子の決意をもってしめくくり、さあ、これからその歌を歌い、創作方法においても新たな『飛躍』をめざそうとしたときに、突然の死が彼女を襲ったのでした」「この『刑務所』に象徴された日本の野蛮な軍国主義と専制主義』が、彼女の身体を決定的に傷つけ、まだ五一歳の若さで、その生命を奪い、この歴史的な大作をも『中途の一節』でほうむりさったのです」（新日本出版社刊『宮本百合子と十二年』所収）。

五一歳といえば、人生まだ半ばである。宮本百合子が少なくともあとあと何年か生きて、彼女本来の課題であった作品を書いて欲しかったとねがうのは、当然ではなかろうか。おそらくそれは、日本文学史上かけがえのない宝として後世に不朽の名を残したであろう。今は亡き彼女にそれを期待することはできない。だとしたら、だれか代わって彼女が書くべきして果たせなかった作品の執筆に挑む勇気と気概をもった人があらわれないであろうか。没後七〇年を機に彼女の全小説を読み直し、獄中の夫にあてた千通に近い手紙（全集で四巻）を遅ればせながら今読み進めながら、そんな想いが胸中に沸きあがるのを抑えることができない。検閲というきびしい制約と極限ともいえる苦難な状況におかれながら、歴史の進歩と大局的な展望への確固とした確信のもとに、その生活と感情の細部までを克明に記した膨大な手紙それ自体が、そのための貴重な素材を提供しているではないか？　私の呼びかけに応じる声が、どこからか聞こえてくるのを待とう。

漱石ざんまい

全集を読む

i、読書ノートをあえて

二〇一四年一月に七五歳で退任した私は、それまで挑戦しようとおもいつつ果たし得ないできた読書にとりあえずとりくむことにした。夏目漱石の作品もそのなかにあった。たまたま朝日新聞が『こころ』の連載から一〇〇年ということで、紙上で再連載するとともに、漱石特集をいくつか組んだ。それらに目をとおすうちに、この機会に漱石全集を読んでみようという気持ちになる。日本を代表する知識人のひとり、国民的作家と言われるのに、『吾輩は猫である』『坊っちゃん』『三四郎』『草枕』などいくつかの作品は読んでいるが、その数は意外に限られていたからである。幸い、自宅の近くにある市立図書館には、岩波書店版の漱石全集がそろっていて、「朝日」が大キャンペーンをしているにもかかわらず、借出は私以外にはとんどいなかったので、一冊ずつ順次借り出すことができた。

なにしろ現役のときに較べれば時間は十分にある。読み進むにつれて次第に関心と興味が高じて、小説だけでなく、文学論や評論、短文にも読み進んだ。そこでは、小説では伝わってこない漱石の人柄やものの考え方などがわかって、一段と興味深かった。小宮豊隆の伝記『夏目漱石』(岩波文庫上中下)なども合わせて目を通した。それらを読みながらその都度、私なりの感想をふくめて読書ノートを書いてきた。気がついたら結構な分量になっていた。

漱石については、すでに数多くの研究が積み重ねられてきていて、素人の私の感想などなんの足しにもならないのかも知れない。しかし、あらためて読み返してみて、私なりの視点や展開もあり、せっかく書いてきたのに自分だけにしまって置くのは惜しいような気もしてきた。ひょっとすると、なにかの参考になるのではとは、身勝手な欲張りすぎかも知れない。そう思いながらも、勇気を出して以下に紹介する次第である。

ii、『吾輩は猫である』(全集第一巻)

一九〇五年に『ホトトギス』に発表された漱石最初の長編小説である。「吾輩は猫である。名前はまだない」ではじまる。「どこで生まれたか頓と見当がつかぬ」のだが、初めて人間を見たのが書生で、これは「人間中で一番獰悪な種族であったそうだ。此の書生というのは時々我々を捕らへて煮て食ふといふ話である」といった風に展開する。

生まれて間もない吾輩は英語教師で変人、融通のきかない珍野苦沙弥先生の家に迷い込んで住み着き、この教師一家やこの教師とホラ吹きの美学者の迷亭、教え子で生真面目な理学士の水島寒月、すっとぼけた哲学者の八木独仙、恋愛至上主義の詩人、越智東風らとの交遊を、猫の目で観察し批評する。また、近くに住む成金の実業家、金田とその夫人が、娘の富子を寒月に嫁がせようと、あれこれ画策し夫人が苦沙弥先生のところへ乗り込んできて、苦沙弥の怒りを買うはなし、苦沙弥宅の隣にある中学校の生徒が学校との境界となっている垣根を乗り越えて苦沙弥の敷地に入り込んでくるのに腹をたてた苦沙弥が切れるはなし、吾輩が銭湯にしのびこんで、人間どもの裸を観察するはなしなど、とりとめのない逸話がつづく。これといったストーリーもないのだが、高踏的でユニークな個性の持ち主たちの文明評や社会批判、芸術論、あるいは時代を風靡する金権主義への手厳しい批判などが、歯切れの良い会話で読者を魅了する。漱石の漢籍への深い素養と英文学をはじめとする西欧文化への広い知識、それに漱石が好んだ落語をベースにした語り口なども、この作品の魅力といえよう。

それも、人間にもっとも身近な子猫という動物の目をとおして語られるのだから、なんともユーモラスで、おかしみのある物語となっている。こういう趣向はこれ一作で、他の作品にも、当時の他の作家にも例をみないのだが、いったい漱石はどこからヒントをえたのだろうか？

作品の最後は、我輩が客人たちの飲み残しのビールを呑んで酔っ払い、瓶のなかにおちて溺れ死ぬのであるが、その少し前に「先達てカール・ムルと云う見ず知らずの同族が突然大気焔を揚げたので、一寸吃驚した」という話が出てくる。全集の注解によると、ドイツの小説家E・T・Aホフマンの作品に「牡猫ムルの人生観」（一八二〇年〜二二年）というのがあり、これが猫を主人公にしており、ドイツ文学者の藤代素人が『新小説』(明治三九年五月号)に「猫文士気焔録」という文章で紹介したことを指しているという。ホフマンのムルも学識のある猫である。漱石自身は否定しているそうだが、この「牡猫ムルの人生観」から漱石は「猫」の着想をえたのではないかとの有力な説があるようだ。

また一説によると、英文学者のローレンス・スターンの「トリストラム・シャンディ」(一七五九～六七)が影響をあたえているとのことである。熊本高校時代に漱石はこの作品を日本に初めて紹介しているが、これは従来の小説の手法を片端から破って破天荒な話を延々と綴る実験小説である。

これらの説にはそれぞれ一理はあるであろう。しかし、私は漱石が親しみ高い評価をあたえているジョナサン・スウィフトの『ガリバー旅行記』をこそ、「吾輩は猫」の発想につながる作品として一番先にあげるべきではないかとおもう。『ガリバー旅行記』は、小人国、巨人国の話で子どもにも知られるが、私が実際に全体を読んだ印象では、それらの話は物事を相対化して見るよう読者を誘い導いているのであって、本題は最後の「馬の国」にあると言って良いであろう。ガリバーが最後に訪れる「馬の国」では、高い理性と知性、徳性を身につけた馬がこの社会の主人公であって、最も卑しい家畜が「ヤフー」と呼ばれる人間である。この家畜は、臭くみにくいばかりでなく、いがみ合い、他をだまし、うそをつき、嫉妬するなど、およそ馬には絶対にみられない下劣な品性を特徴としている。こうして馬にははるかに及ばない下等な動物として、人間をこっぴどくこき下ろす。この「馬の国」にこそスウィフトが描きたかった核心がある。

そこには、徹底した風刺家で人間嫌いのスウィフト(本当は人間をこよなく愛する)のスウィフトらしさがいかんなく発揮されている。同じく当時の社会に厳しい批判を持つ人間嫌いの漱石はスウィフトと特別に通じるものがあり、スウィフトに強い好意を抱いている。知性をもつ動物を主人公にして人間と人間社会を手厳しく批評し批判する、「猫」の手法はまさにスウィフトのものである。こういう説を唱えた人がこれまでにいるかどうかは知らないが、これは私の確信である。

iii、「倫敦塔」「幻影の楯」「趣味の遺伝」ほか（第二巻）

全集第二巻には『坊っちゃん』のほか、「倫敦塔」「幻影の盾」「カーライル博物館」「琴のそら音」「一夜」「薤露行」「趣味の遺伝」の七つの短編がおさめられている。漱石のごく初期の作品である。「倫敦塔」「カーライル博物館」は、作者のイギリス留学に材をとったいわば紀行文の一種であり、「幻影の楯」「薤露行」も、アーサー王物語にちなんだ話なので、その系列に属するといえよう。「琴のそら音」「一夜」は、作者の身辺雑記ともいうべき小品である。

私がとりわけ大変興味深く読んだのは、漱石の戦争観を知ることができる「趣味の遺伝」と言う妙なタイトルをもった最後の作品である。日露戦争で勝利して凱旋する乃木大将らしき将軍とその部隊の一行にたまたま遭遇した余は、日焼けした将軍の雄姿を仰ぎ感涙する。凱旋部隊を歓迎する群集のなかから、行進する将兵の中に下士官である自分の息子をみつけた一人の老婆が飛び出してきて、嬉しさのあまりに息子に取りすがり、ぶら下がる。その姿をみて、私は士官として出陣して戦死した友人の浩さんをおもいだす。その母が嘆き悲しんで慰める術もないのである。その母を訪ねても、かけてやる言葉もないので、代わりに余は、浩さんの墓参りを思い立ち、駒込の寂光院をたずねる。そこで、浩さんの墓前に立つと、すでにお参りをして帰ろうとする、若く美しい女性とすれ違う。

はたしてあの女性はだれだろう。浩さんの恋人だったのではないか、浩さんの母親が、嘆き悲しむたびにせめて浩にお嫁さんを貰っておけばよかったと悔やむのを思い出すと、合点もいく。そこで私はこの女性がどういう人かをつきとめようと思い立つ。どうやって調べるか？　浩は和歌山の藩士の家系の出身である。浩の家系の先祖を調べれば、遺伝ということがあるから、何か手がかりがあるかもしれないというのである。このあたりは、唐突な話でいまから考えると、つじつまが合わない。

そのうえ、この作品は、浩の先祖調べで終わっていて、若い女性がどこの誰かを見つけ出し、そのうえで浩の母と対面させ、二人が日毎に睦まじくなっていくという肝心の話が、「これからの話は端折って、簡略に述べる」となっていて、ごく大雑把なあらすじしか書いてない。その意味では、完成作とは言えないのだが、そこに以下のような記述があるので、そのまま紹介する。

「余は色の黒い将軍を見た。婆さんがぶら下がる軍曹を見た。ワーッという歓迎の声を聞いた。そうして涙を流した。浩さんは塹壕に飛び込んだきり上って来ない。誰も浩さんを迎えに出たものはない。天下に浩さんの事を思って居るものはこの御母さんとこの御嬢さんばかりであろう。余はこの御両人の様を目撃する度に、将軍を見た時よりも、清き涼しき涙を流す」

余が乃木将軍の凱旋に涙をながすように、漱石は決して反戦論者ではない。日露戦争を肯定する人である。しかし、乃木将軍の凱旋への感涙とあえて比較、対照させて、戦死した友人の母とその恋人の方により清い涙を流すのである。ここに、漱石の戦争観が凝縮していると言ってよいであろう。戦争に反対はしなかった、しかし、戦争がもたらす民衆の苦しみと犠牲にたいして、きちんと目を向け、ヒューマンな心でその悲しみをリアルにとらえている。その意味で、漱石はリアリストでありヒューマニストであるといえよう。

iv、『坊っちゃん』(第二巻)

漱石を日本の国民作家にしたのはなんといっても『坊っちゃん』である。一九〇六年、英国留学から帰ってから数年後の漱石が、『吾輩は猫である』につづいて、一気呵成に書きあげたのがこの作品である。

内容は、紹介するまでもない。私がこの作品を最初に読んだのは、多くの人がそうであるように少年時代である。そのときは、痛快な正義の熱血小説というのが、なによりの感想であった。つぎに二〇歳代前半で読み直した。そのときは、当時の社会に絶望した作者の底知れぬペシミズムを作品の背後に感得し、意外な発見としてわれながら驚いた。赤シャツと野だいこを袋叩きにして松山を去る主人公は、この時代と社会にたいするやり場のない怒りと絶望に支配されているように感じたのだ。これは当時の私の気持ちに引きつけすぎて読んでいたきらいもなくはなかった、と思う。

さて今回、現役をしりぞいたのを機会に漱石全集ですべての作品を読み、そのうえであらためて『坊ちゃん』を読み直した。その感想はいかに？　やはり面白い。その面白さはどこからくるのか？　坊ちゃんの赴任先の中学校の生徒たちに象徴される封建時代からひきずった因習や古い人間関係への痛烈な罵倒とともに、赤シャツや野だいこにみるように、学歴や社会的地位、教養などを盾にしての陰湿な打算や策略にたいする無鉄砲だが正義の憤りが、なんといっても痛快である。

坊ちゃんの魅力であるその人格と倫理観、感性を支えるのが江戸っ子かたぎであり、江戸町人文化であることも事実である。「おれ」の一人称による語り口調は、落語や講談のそれであり、その倫理は、八犬伝や忠臣蔵、歌舞伎や浄瑠璃などにみる勧善懲悪そのものである。漱石は徳川幕府の行政の末端をになう名主の家に生まれ、養子にも出されているが江戸の町人文化に深く親しむ家風のもとに育っている。英国留学で悩み抜いた末に到達した欧米にたいするみずからの立ち位置を意味する「自己本位」（「私の個人主義」）の立場から、漱石は自分の生い立ち、日本の伝統文化にたいして居直って肯定する。その立場から、日本の伝統や文化に積極的に依拠して作品を書いている。これが、作品の生命力となっている。そのことは、これまでに指摘した人も少なくなかろうが、あらためて強く感じさせられた。

同時に、帝国大学卒の学士、赤シャツに代表されるハイカラ、つまり欧化、近代化のもつ皮相さ、危うさに対する批判も、今日にいたるまで時代と社会の本質を突いていることを強調しなければならない。坊ちゃんは赤シャツにたいして、「ハイカラ野郎の、ペテン師の、いかさま師の、猫っかぶりの、香具師の、ももんがーの、岡っ引きの、わんわん鳴けば犬も同然な奴」とののしる。この点で、美しい女性、マドンナも同罪である。うらなり君という婚約者から赤シャツに乗り換えるこの女性について、「こんな結構な男を捨てて赤シャツに靡くなんて、マドンナも余っ程気の知れないおキャンだ」というわけである。時代の先端を行く美しい女性に魅力とともに危うさ、危険をみるのは、「虞美人草」の藤尾や「三四郎」の美禰子などにも共通する漱石特有の女性観だが、『坊っちゃん』のマドンナにその最初の実例をみることができる。漱石はモダンで美しい女性に欧化、近代化の魅力とともに危うさ、皮相さ、危険を読み込んでいたのではないか、というのが私の理解である。いずれにしても、こうした視点を含んでいることが、この作品のもうひとつの魅力であり、生命力であることも明らかである。

なお、松山時代の実際の漱石は、どちらかというと坊っちゃんではなく赤シャツ（唯一帝国大学卒でハイカラな洋服を着て、教師仲間でも別格に見られていた）であり、実際中学校の教師としての漱石は、少なくとも表面上は坊ちゃんとは対照的な模範教師だったようだ。作品のなかの赤シャツは、作者自身をモデルにしていると、たしか小宮豊隆も指摘している。その意味でこの作品は、漱石が、自分の分身である坊ちゃんによって自分のもう一面の〝赤シャツ〟を痛撃する自虐的な作品ということもできる。

さらにもうひとつこの作品をささえているのが、お清という女性である。維新前はしかるべきところの人だったのが、漱石家の下女になっているのだが、周囲からつまはじきの坊ちゃんを一人可愛がってくれる。その清への思いが、この作品にあたたかみをあたえている。松山から逃げ出す坊ちゃんは、「おれは東京へ着いて下宿へも行かずに、皮鞄を下げたまま、清や帰ったよと飛び込んだら、あら坊っちゃん、よくまあ、早く帰ってきてくださったと涙をぽたぽた落とした」のである。新潮文庫版の『坊っちゃん』のあとがきで江藤淳は、漱石最後の長編『明暗』の主人公津田のかつての恋人の名が清子であることに注意を促している。

V、「草枕」「二百十日」「野分」（第三巻）

全集の第三巻には、『草枕』（一九〇六年）、『二百十日』（一九〇六年）、『野分』（一九〇七年）の三篇が収録されている。いずれも初期の中編作である。

『草枕』の書き出しは有名である。「山を登りながら、かう考えた。智に働けば角が立つ。情に竿させば流される。意地を通せば窮屈だ。とかくこの世は住みにくい。住みにくさが高じると、安い所へ引き越したくなる。どこへ越しても住みにくいと悟った時、詩が生まれて、画が出来る」しかし、この作品が何を描いているかは意外と知られていない。この作品は、漱石の芸術論である。住みにくい世の中にうんざりして、そこを解脱したところに、詩が生まれ、画がなりたつ。人情の世界を離脱した非人情の世界が芸術である。二〇年以上俗世間に住んでうんざりした主人公の画工は、スケッチブックをもって旅に出て深い山を歩く。そこで、人間界を離れて自然にしたしみ、感動した自然を絵に描く。是が非人情の世界である。晩年の漱石は、「則天去私」をモットーに掲げたが、『草枕』の芸術論は、その先駆けと言っても良い。

画工は、那古井の温泉宿に逗留するのだが、その宿に那美さんという才気煥発な美しい女性がいる。婚家を離縁されて戻ってきた宿の娘である。この人との交流がこの作品のもう一つの要をなしているが、不思議な女性である。『三四郎』の美禰子に通ずる女性である。「非人情」の世界に住む画工が、ここでは生の人間、人情に接することになる。そのギリギリのところを描いた、と小宮は解説している。

続いて書かれた『二百十日』は、『草枕』とは対照的に、この世に生き、この世を告発するという作品である。主人公の圭さんと碌さんが二人で阿蘇山に登り、台風に遭遇して命からがら宿に戻るという話である。圭さんは、豆腐屋の出身で貧しく、門閥や身分とは無縁の存在で、自分の置かれた不遇を呪い、富豪や貴族などの生活と不合理を激しく攻撃する。いわば頭による社会革命を主張し、碌さんに同調を求める。悪事を重ねる華族や金持ちを告発して「『そんなものを成功させたら、社会は滅茶苦茶だ。おいそうだろう』『社会は滅茶苦茶だ』『我々が世の中に生活している第一の目的は、かういふ文明の怪獣を打ち殺して、金力も力もない、平民に幾分でも安慰を興えるのにあるだらう』」というわけである。一九〇六年といえば、社会主義思想が日本に入ってきたばかりのときである。その時期に漱石がこういう主張を堂々とかかげているのに驚かされる。

なお、漱石は熊本時代に実際に阿蘇山に登って道に迷っている。その時の体験を「阿蘇の山中にて道を失ひ終日あらぬ方にさまよふ」と前書きして、「灰に濡れて立つや薄と萩の中」「行けど萩行けど薄の原広し」と俳句に詠んでいる（第一七巻）。

『野分』は、『二百十日』を発展させた作品ということができよう。『坊ちゃん』の主人公を思わせる道也先生は、新潟県を皮切りにいくつかの地方の中学校に教師として赴任するが、どこでも衝突したりトラブルを起こしたりで、ついに教師をあきらめて帰京してしがない雑誌の編集などで食い詰めている。中学校時代にこの先生を排撃する尖峰に立ったことのある高柳君は、貧しく不幸な生い立ちもあって大学を卒業しても不遇をかこち、つまらない翻訳などで食いつないでいる。みずからの境遇に絶望し、孤立し、金持ちや成功者を呪い、社会に背を向けている。この高柳には、中野君という大学時代の親友がいて、この人は裕福な家に育ち何不自由のない生活をしている。話すことも、愛だ自由だとくったくがない。この二人の対照を描きつつ、高柳と道也先生との交流に主題が絞られていく。最後は、結核を患い転地療養をすすめられる高柳が、借金とりに責められる道也先生をすくうために、中野から提供された療養費一〇〇円で道也先生の売れない原稿を買い取るところで終わっている。高柳は道也にむかって原稿の譲受を乞う。「先生私はあなたの、弟子です。――越後の高田で先生をいぢめて追い出した弟子のひとりです。――だから譲って下さい」と。なんと越後の高田中学（高校）は、私の出身校である。自由民権運動の影響などもあって、かつてはしばしば生徒がストライキをおこすなど剛毅な気風があった。漱石は、高田中学での当時の騒動について聞き及んでいたのだろうか？　漱石がわが母校のことを書いていたことを、この歳になって初めて知ろうとはなんたることか！

vi、『虞美人草』（第四巻）

一九〇七年に「朝日」に連載された漱石のプロ作家としての第一作である。『吾輩は猫である』『坊ちゃん』が、筆の向くままに比較的気楽に書かれたのと対照的に、この作品を作者は大変な気負いで、古今東西の知識と薀蓄を総動員して粉飾たっぷりに書いている。それだけに、前半は読みにくくとっつきにくい。しかし、次第に面白くなり、後半は一気に読ませる。『坊ちゃん』を読み返したばかりなので、これとの対照で読むこともできた。そんな読み方をした人間は、私以外にそうはいないのではないか。

『坊ちゃん』では、竹を割ったような性格の江戸っ子主人公が、上っ面だけ文明開化した封建的な田舎の人間と文物に悲憤慷慨するのだが、その中心の一つに美しいマドンナの変心が据えられている。つまり実直なうらなり君の許嫁でありながら、帝大卒の赤シャツにのりかえる女の背信である。『坊ちゃん』では、マドンナは美しいが背信をいとわない軽薄な女としてしか描かれず、作者の怒りはもっぱら赤シャツに向けられている。『虞美人草』では、作者の批判と憤りは、坊ちゃんの後身ともいうべき宗近という青年を介して、藤尾という美しく賢く才知に長け勝気で男を翻弄する女性に向けられる。この作品を煎じ詰めればこの女性にたいする漱石の批判につきる。

宗近と藤尾のあいだには、将来の結婚を両親同士で了解しているという事情があり、宗近もその気になっている。ところが藤尾は、外交官試験に落第し、詩も解しない宗近を軽蔑し、帝大金時計の秀才で博士論文に挑んでいる小野さんに将来性をみてとり好意を寄せ、結婚をも視野に入れる。小野は、貧しい家の出で恩師の世話で学業をやり、この恩師の娘、京都で琴を弾いていた昔風の女性、小夜子との婚約があるのだが、才知も財産もある藤尾の方に、乗り換えようとしている。

藤尾の腹違いの兄、宗近の友人で哲学を専攻している甲野は、義母と藤尾に家も財産もゆだねて、自由になりたいと考えている。甲野は妹の藤尾の正体をみぬき、宗近に藤尾を見限るようにとすすめる。宗近の妹の糸子は、甲野を愛している。小野が恩師と小夜子との約束をほごにしようとしたのを機に、宗近と甲野は小野に小夜子との約束をまもるよう詰問し、藤尾の面前で小野に改心させる。立つ瀬の無くなった藤尾は、命を断つ。これがこの作品の大まかなストーリーである。

わたしが関心をもつのは、漱石がなぜこれほどまでに藤尾を嫌悪するのかということである。クレオパトラをもじるほどの美人であり、秀才の小野をも手玉に取る才猛けた女性を、徹底的な悪女、はねっかえりとして一方的に描きだし、これに京都風の小夜子や家庭的な糸子を対置して、後者に凱歌をあげる、ここに漱石の女性観が如実に表れているのだが、私にはそれが女性観にとどまらないように思えるのだ。つまり漱石は藤尾と言う忌み嫌う女性に、急速に日本を覆う欧化文明の歪みと皮相さ、みにくさを代表させているのではなかろうかと思うのである。女性をとおして、時代と社会をみる、漱石ならではでなかろうか?

『坊ちゃん』にもみられる勧善懲悪的な倫理観は、この作品にもみられる。藤尾とその母を徹底的に悪者に描きだし、その対極に宗近と甲野、小夜子，糸子がいる。その意味では、きわめて戯画化された人間像だということもできる。この作品をそうした視点からとらえて二流作とする評価もあるようだ。しかし、こうした単純化によってこそ、日本の近代化がもたらしたうわっすべりの危うさと虚飾、欺瞞を痛烈に批判することが出来たのではなかろうか？　作者はあえてそうした単純化を選択したと考えることもあながち見当違いではないだろう。宗近が秀才の小野にたいして、すべての点で自分より小野の優位を認めつつ、「もっと真面目になれ」と迫るのは、そのことを象徴している。

vii、『坑夫』（第五巻）

漱石の作品のなかで、肉体労働者を主人公に描いた唯一の作品で、明治四一年に「朝日」に連載された比較的初期に書かれたものである。漱石自身によると、「虞美人草」を「朝日」に連載して、次は島崎藤村の作品が予定されていたのだが、藤村の筆が進まず連載が出来なくなり、やむを得ず漱石がたまたま坑夫体験者から聞いた話をもとに急きょ間に合わせたという経緯がある。その坑夫体験者は、漱石を訪ねて自分の体験談を小説にしてほしいと申し入れ、その謝礼で帰省するとのことだったといういわくのある男である。こんな事情だから、漱石は炭坑の取材もしてなければ、ストーリーを練るということもなく、いわばやっつけで書いたようだ。

話は、恵まれた家庭に育ち教育も受けながら女性問題などのトラブルで人生に絶望した一九歳の私が、東京を逃げ出し当てもなく北へと夜通しただひたすら歩いていくところから始まる。ようやくたどり着いた一軒の茶屋で、一人の男に「君、働いてみないかね」と声をかけられる。長蔵と名乗るその男は、「もうかるぞ」と炭坑夫になることをすすめる。労働、まして肉体労働の体験などまったくなかった私だが、生きることに絶望し、まったく投げやりになっていたため、「堕ちるところまで堕ちてしまえ」というやけっぱちの気持で、長蔵の勧めに応ずる。

こうしてポン引きの長蔵の甘い言葉にひっかかった私は、途中で同じく勧誘された二人とともにさらに歩き続けて、山をいくつも越えて目的の炭坑にたどり着く。銅山とあるから位置的に言えば足尾銅山であろうか。鉱山の飯場に配属された私は、そこで飯場頭から過酷な鉱山労働について説明を受け、とても無理だからと翻意して帰るよう勧められる。また異人種が紛れ込んできたとしか受けとめない現場の坑夫たちからさげすまれ、馬鹿にされ、あるいはからかわれる。にもかかわらず、他に行くところもないのと、堕ちるところまで堕ちてやれ、それでくたばれば本望だくらいに考えている私は、炭坑現場の余りに過酷な現実に度肝を抜かれ、大変な所へ来てしまったと後悔しながらも、なおむきになって坑夫になるといって突っ張る。そのへんの主人公の揺れ動く心境と、その変化が、この小説の大きな主題になっている。まったく環境の違うところに置かれて直面する現実をまえに、知識人の端くれに過ぎない一人の人間の自我が、いかに無力であるか、あるいは現実との矛盾になすすべもないかを、これでもかと抉り出す。

いよいよ坑夫になる道を選んだ私は、一人の先輩坑夫に案内されてシキと呼ばれる坑内にはいって直接現場を体験することになる。そこは、文字通り言語に絶する地獄そのものである。背も立たないような穴にもぐり、迷路のような地下の坑道に迷い、掘削現場のハッパの音におののき、命からがら地上に戻る。坑内で迷って途方に暮れていた時に私は、安さんという一人の坑夫に出会う。他の坑夫とちがい、教養もあるこの人から自分のような身に堕ちては駄目だと、こんこんと諭される。私はこの坑夫に人間的な信頼と親しみを抱く。それでも坑夫にこだわる私は、正式に坑内労働に携わるため手続きとして坑内にある診療所で検診を受けるよう指示される。そこで私は、気管支炎で坑内労働不可の診断を下される。こうして、飯場の帳簿掛になった私は、五ヶ月間そこで働いて東京へもどる。

このような作品だから、肉体労働者を描くというのは正確ではない。そこへ身を堕とす自暴自棄の青年の心理を描いたというほうが当たっていよう。したがってやはり主題は、当時の社会で知識青年が直面する自我である。その意味では「こころ」の先生にも通じるといえよう。同時に、漱石の労働者観をうかがえて興味深い。

viii、『三四郎』（第五巻）

学生時代に読んでいるはずだが、美禰子さんという頭がよく美しい女性が出てくるくらいしか記憶に残っていない。今回読み直してみて、あらためてこの作品の面白さに感銘した。熊本の高校を卒業して帝大に入り上京してくる三四郎が、近代化欧化をとげる東京の文物にカルチュアショックをうける様子から、美禰子さんという女性に出会い、惹かれてふられるまでの顛末が、なかなか良く描かれている。三四郎の友人の都会風で要領が良く立ち回りも早いがどこか軽薄な与次郎という青年、寺田寅彦がモデルといわれる野々宮という浮世離れした理学博士、その妹で美禰子さんの友人でもあるよし子、与次郎の下宿の主でもある広田という高校で英語を教えるひょうひょうとした独身の教師、美禰子をモデルに絵を描く原口という画家など、当時の学生、知識層とその周辺の女性が織りなす青春ドラマともいえる。広田が好む謡曲など日本の伝統的な文化と欧米渡来の近代文化と最新知識をふんだんに取り入れた歯切れの良い軽快な会話が、リズミカルに展開される。

冒頭、当時の汽車による長旅の途中、名古屋で一泊しなければならなくなった三四郎は同じ車両に同席したひとりの夫人に心細いから宿を一緒に捜してもらえないかと頼まれてひきうける。あまり余裕のない学生でも泊めてくれそうな宿にはいると、夫婦と間違われ一部屋に案内される。同室で一夜を過ごした三四郎は別れ際に、女性から「あなたは余っ程度胸のない方ですね」といわれる。

一夜をともにして手も出さなかった三四郎への女の皮肉なジョークである。どういう意図で作者がこの話を冒頭にもってきたのか、摩訶不思議である。世慣れない田舎の青年がこれから都会で出会う刺激の多い生活との落差を象徴させたとも取れるが、やはり若い女性にたいして常に気おくれする主人公の性格を暗示したともとれる。

実際、この作品の中心はやはり美禰子と三四郎との関係である。最初の出会いはこの作品で三四郎池と呼ばれるようになった東大構内の池での偶然のことである。その情景を「華やかな色の中に、白い芒を染め抜いた帯が見える。頭にも真っ白い薔薇を一つ挿してその薔薇が椎の木陰の下の、黒い髪の中で際立って光っている」と表現している。三四郎はそのとき突然、「矛盾だ」と小さい声で言う。何が矛盾なのか、三四郎自身にわからないのである。

この女性の描き方は、『坊ちゃん』のマドンナ、『虞美人草』の藤尾の延長である。同時に、マドンナも藤尾も悪女であるが、美禰子はそうした女ではない。与次郎にいわせれば、「廿前後の同じ年の男女を二人並べて見ろ。女の方が万事上手だあね。男は馬鹿にされるばかりだ。女だって、自分の軽蔑する男の所へ嫁に行く気は出ないやね。」「そういう点で、君だの僕だのは、あの女の夫になる資格はないんだよ」ということになる。気をもたせるようなそぶりも見せながら、三四郎ではなくもっと年配の社会的地位もある男に嫁ぐ美禰子は、結婚を告げる最後の別れで「われは我が愆を知る。我が罪は常に我が前にあり」という旧約聖書のことばを、三四郎に投げかける。作者はその意味を解かないまま作品を閉じているが、そこには三四郎を翻弄してきたことへの美禰子の自戒が込められているともとれなくはない。いずれにしても三四郎が美しい才媛に魅了され翻弄される点では、『虞美人草』と同じパターンである。江藤淳という政治的には右翼の文芸評論家がいて、『漱石』という著作がある。そこでは漱石の女性観は、彼の兄嫁に対する屈折した思慕が反映していると解説していたように記憶する。はたしてどうであろうか？

ix、『それから』（第六巻）

この作品が書かれたのは一九〇九年、『三四郎』のあとである。「東京朝日」への連載にあたって作者は、次のように語っている。「いろいろな意味に於いてそれからである。『三四郎』には大学生の事を描いたが、此小説にはそれから先の事を書いたからそれからである。『三四郎』の主人公はあの通り単純であるが、此主人公はそれから後の男であるから此の点に於いても、それからである。此主人公は、最後に妙な運命に陥る。それからさき何うなるかは書いてない。此の意味に於いてもそれからである」（明治四二年六月二一日）

このように作者がコメントしている通り、この作品は『三四郎』の続編ともいうべき位置にある。また、主人公と友人と女性をめぐる葛藤をえがいているという意味では、『こころ』に通じる、その主題の先取りでもある。

主人公の代助は三〇歳になるが、依然として親がかりで就職もせず、結婚もせずにぶらぶらしている。生活のために働く必要のないこの男は、食べるために働くことを卑しいことと見下し、働く必要のない自由な身分に高い価値を置く高踏遊民でもある。学生時代の親友で大阪の銀行につとめていた平岡が、失業して夫人の三千代を連れて東京に引っ越してくる。すっかり生活人になり余裕のない平岡に学生時代のような親しみを感じることができなくなった代助は、妻をもかえりみない平岡と暮らすその妻に次第に同情を深めていく。

実は、平岡が結婚する前には、代助は三千代にひそかな恋心をいだいていたが、友人の平岡の気持を汲んで自分は身を引き、友人の結婚を手助けしたという過去がある。借金に苦しみその日の生活費にも事欠く三千代と接するにつけ、代介の同情はやがて恋心の再燃になっていく。一方、父や兄、兄嫁の梅子からは、再三にわたって結婚をうながされ、父の恩人にあたる人の娘を紹介され、見合いもおこなう。しかし、代助はどうしても三千代への思いを断ち切れず、社会的道義に反し父や兄との関係を悪化させることをもあえて辞さず、親がすすめる結婚話を断る。

そのうえで代助は、友人平岡に自分の気持を率直に告白し、三千代をゆずれと迫る。当然、平岡は激怒し、関係断絶を宣告され、その経緯は平岡から代助の父、兄にも知らされて、代助は親から勘当され、生活の道をも断たれる。作品はそこで終わっている。文字通り「それから」なのである。

興味深いのは、ここに登場する三千代なる女性が『坊ちゃん』のマドンナとも、『虞美人草』の藤尾とも、『三四郎』の美禰子とも違った女性であることである。主人公が社会的な常識や道義も、あるいは親友、父や兄への背信をもいとわずに、その愛を貫き通そうとする、そういう愛の対象として描かれているのである。生活苦と夫への忍従の日々を運命と受け入れながら、代助の求愛にたいしては死をも覚悟のうえでそれをうけいれる。和服のよく似合う、ひかえめだがそういう芯の強い純真な女性としてえがかれている。漱石の女性への理想像がそこに示されているように思う。しかし、三千代は表面の平静さにもかかわらず、心労から病に倒れ、遠からず死の到来を予感させる。ここには、こうした純粋の愛が許されない日本の社会的現実への絶望も象徴されているようにおもう。

この作品に出て来るもう一人の女性は、兄嫁の梅子である。こちらはどちらかというとマドンナ系の女性なのだが、前の諸作のように悪魔性のようなものは存在しない。やはり美しく快活で物怖じしない知的な女性である。しかし、父や兄と同じレベルで代助に結婚を迫りながら、代助の真意を知るとそこに同情と理解をしめすところが、父や兄とはちがう、真心のある女性である。大助はこの女性に他の家族より親しみをいだくのだが、現代にも通じる日本女性の一つのタイプである。

x、『門』（第六巻）

『三四郎』『それから』とともに初期三部作というのだそうである。直接には『それから』を受けている。『それから』は、主人公が友人の妻を奪うという社会的には許されぬ行為によって親兄弟、友人などから見放され、経済的にも自立せざるを得なくなるところで終わっている。『門』では、主人公の宗助が、周囲から人の道に反すると非難されるような顛末で友人の妹であるお米といっしょになり、大学も中退して役所勤めをしながら世間をはばかるようにひっそりと暮らしている。その夫婦の細やかな日常生活とふれあいを描いているのだが、前二作と違って、何とも暗い印象をまぬがれない。

ストーリーらしいストーリーもない。学生時代に父が亡くなり、資産の処分をゆだねた叔父夫妻とのあいだの金銭関係もからむ疎遠な関係、その叔父のもとにあずけられて大学に通う弟を引き取って同居せざるをえなくなること、そのことが心労となってお米が健康を害してしまい、なんとか回復するが一抹の不安を感じさせる。つましい借家住いの主人公が唯一親しくなる大家との交わり、そして、ひょんなことからこの大家をつうじて、お米の兄でかつて宗助の親友だったが、お米の件で絶交せざるをえなかった安井の消息が分かり、顔をあわすことになりかねない状態になること、そのことで悩み困りはてた宗助が、鎌倉の禅寺にこもるはなしなどが、主なできごとである。

お米が再三の流産、死産を繰り返し、夫婦がこどもに恵まれないことも、世捨て人のような二人の生活に暗い影を落としている。

お米という女性は、『それから』の三千代の延長線といってよい。福井で育ち京都で兄と一緒に暮らしていた、どちらかといえば日本的なおとなしい女性である。宗助との日々の会話などから察するかぎり、夫を信頼しきって今の生活に安んじている。しかし、それ以上にはこの女性について詳しいことはなにひとつ定かでない。宗助が、学業も期待される将来も捨て、世間を敵に回してまで一緒になった理由が、いまひとつはっきりしないのである。

『門』をめぐっては、評価が真二つに割れるという。漱石研究家の小宮豊隆、あるいは武者小路実篤は、この作品をじめじめした暗い作品としている。ところが、谷崎潤一郎や江藤淳は、「最高の夫婦愛を描いた作品」と評価しているという。たしかに、社会に背を向けたふたりの関係は、細やかな心遣いと愛情によってこそ維持されている。その意味では、夫婦愛を描いていると言えなくもない。しかし、将来への希望も捨て、人付き合いもせず、経済的にも楽ではなく、お米は健康にも不安をかかえる、こんな二人の生活は、やはりじめじめと暗く、危うさをかかえるというのが、まともな見方であろう。

これら二説に対して、西垣勤（神戸大名誉教授）という人が、『門』は夫婦の「裂け目」をテーマにしているとみるべきだと説いて、論争に一つの決着をつけたという。たしかに、睦まじい夫婦の日常をこまやかな筆遣いでえがきだしているのだが、経済的にも健康の面でも、あるいはお米の兄をめぐる主人公とお米の関係にしても、一抹の不安と危うさを内蔵している。お米の兄、安井が現われて困惑する宗助が、そのことをお米に相談することもできずに、悶々としたあげく、禅寺へこもって座禅をするというのも、そうした不安、危うさの現れではなかろうか。社会に背を向け、二人だけの愛の巣を守ろうとしても、それはいずれ破綻せざるを得ない、そんな示唆でもあろうか？　西垣氏の所論ともつながるのだが、私はそのように読んだ。

この作品は、漱石が病気のため中途半端な終わり方をしているとも言われる。鬱状態の漱石の精神状態をも反映した作品とみてよいのではなかろうか。

xi、『彼岸過迄』（第七巻）

いわゆる〝修善寺の大患〟（漱石は一九一〇年夏に逗留先の伊豆修善寺で胃潰瘍による大量の吐血をして生死の境をさまよう）後に心機一転して筆をとった作品で、その後の『行人』『明暗』とともに後記三部作の一つである。短編を重ねることで新聞連載が面白くなるのではというかねてからの着想を実践した作品でもあり、「風呂の後」「停留所」「報告」「雨の降る日」「須永の話」「松本の話」「結末」の七編からなっている。タイトルは、書きだして彼岸過迄書くというだけの意味という。

作者の最初の長編『吾輩は猫である』では、猫の目を通じて社会や人々についての批評と感想が語られたが、この作では敬太郎という大学を卒業したがまだ就職先が決まらず、いわゆる就活中の青年が〝猫〟の役を果たす。最初は、下宿の同居人で鉄道の仕事をする森本という一風変わった男について、一緒になった銭湯での会話などをつうじて紹介する。学歴はないがいろんな職業について冒険を繰り返してきたこの男は、下宿代を滞納したまま忽然と姿を消し、しばらくして大連から大陸で働いているとの手紙が届く。冒険好きの敬太郎は、自分にはそうした冒険への関心はあるものの、実践力に欠けると自省する。

つぎに須永という資産があって働く必要のない友人の事が書かれている。そしてこの友人が紹介してくれた実業家で、須永の叔父にあたる田口から、ある男を停留所で待ち合せて追跡する探偵のような仕事を依頼される。その男は、若い女性と待ち合せて、レストランで食事をともにする。何やらいわくありげである。しかし実はこの男は、田口の兄弟で学はあるが高等遊民のように暮らす須永の叔父の松本で、女は田口の娘で須永の許嫁でもある千代子であることが、やがてばれる。敬太郎への田口の依頼は、田口が仕掛けたいたずらだったのである。こうして話は、本題の須永と千代子との関係にたどりつく。

須永市蔵は、自尊心が強く頭は良いし学問もできるが、何事にも積極性と勇気が欠けるばかりか特有のひがみ根性をもって、物事の裏の裏を読むようなところがある。これにたいして、千代子は快活で素直、誰にも気後れするところなくたちむかう、勇気の人である。千代子が生れた時、須永の母が将来息子の嫁にと田口に頼んで承諾を得ている。しかし、兄妹のように育った二人は、分け隔てはないし、親しいのだが、結婚となると須永は母のたび重なる督促にもかかわらず、とてもその気になれない。それでいて、千代子に縁談があったり親しい男性が現われると、とたんに嫉妬心にとりつかれる。二人の間に愛情がないとは言えないのである。

田口は事業に成功し超多忙の身で人間としては憎めない世慣れた男である。これに対して松本は、須永と共通する、漱石の作品によく出て来る学識のある遊民である。しかし、松本と須永は共通点を持ちながら、相容れぬところがある。ある雑誌の表紙を飾る美人の写真をめぐって松本は、「僕はあくまで写真を実物の代理として眺め、彼は写真をただの写真として眺めていたのである。若し写真の背後に、本当の位置や身分や教育や性情が付け加わって、紙の上の肖像を活かしに掛ったなら、彼は却って気に入ったその顔迄併せて打ち棄てて仕舞ったかも知れない。是が市蔵と僕の根本的に違う所である」とのべる。須永は、美人の写真は受け入れても、現実の生身の美人は受け入れないのである。

松本はある学者の講演を紹介するという形で、「現代の日本の開化を解剖して、かかる開化の影響を受ける吾等は、上滑りにならなければ必ず神経衰弱に陥るに極まっている」ともいう。この神経衰弱になるのが須永であり、上滑りで無事なのが自分だというのである。須永はこの時代にまともに向き合うために、時代に迎合できない人間である。

須永は千代子を好きなのだが、物事を恐れずまっすぐに立ち向かうこの女性とはうまくやって行けるはずはないと、自分で結論づけている。開化と文明を肯定して疑わない千代子と、開化と文明がもつ矛盾と危うさを疑いぬく須永との決着のつかない葛藤である。男女の関係をとおして、そこには歴史と時代、そこに生きる人間の根本的な問題が横たわっている。そういう本質的な問題にまでいどんでいるところに、漱石の文学が今日的な生命力をもつゆえんがあるのではなかろうか？

xii 『行人』(第八巻)

『行人』は、大正元年(一九一二年)から同二年にかけて「朝日」に連載された作品である。タイトルの行人は、「道行く人」「使者のことを司る役人」「使者そのもの」といった意味があるそうである。漱石の作品のなかでもっとも難解な、哲学的内容をもった作品ということができる。おそらく神経衰弱が悪化した時期の漱石の精神状態をもっともリアルに再現した作品ともいえるようにおもう。したがって、漱石を支配した精神的苦難がいかなるものだったかを理解する鍵を提供している作品ともいえるのではなかろうか? 作者は「彼岸過迄」のなかで、主人公の尊敬する松本に、「現代の日本の開化の影響を受けるにあたって、上滑りにならなければ神経衰弱になるに極まっている」と語らせているが、そうした意味で文字通り神経衰弱になったのが、この作品に登場する主人公の兄で優秀な学者である一郎である。

それにしても不可思議な作品である。一つの作品としてのまとまりがないのだ。大きく分けて三つの要素からなる。第一は、主人公の次郎が大阪で落ち合って一緒に山に行くはずの友人の三沢が病気で入院してしまい、三沢を見舞いながら大阪に滞在する話である。ここでは、大阪で結婚している従兄の岡田とその妻、岡田がすすめる次郎の家の女中のお貞の縁談話、嫁ぎ先から離別させられて精神を病んで三沢の家で引き取っていた若い女性への三沢の思いなどが話題になる。

第二の要素は、次郎の兄一郎夫妻と母が大阪を訪れ、次郎と一緒に和歌山県和歌の浦などへ旅をする話である。ここでは、妻の直としっくりいかず、妻が弟の次郎に思いを寄せているのではとの疑いを深める一郎が、あろうことか次郎に妻を連れだし、確かめるよう依頼する。そして直を連れ出した次郎は台風に遭遇して宿に帰れなくなり、兄嫁と一夜を過ごすことになる。学者で気難しい一郎を扱い兼ねる直は、義弟の次郎とは気やすく話もでき心も通じるのだが、次郎はこの事件を通じて、直の苦しい心の内を知り同情を深めるようになる。この兄嫁と次郎の関係、兄嫁直の性格、人柄は一筋縄ではいかない深さがある。

第三の要素は、和歌山旅行から帰京して以降である。兄の一郎はますます苛立ち気難しくなり妻の直だけでなく父、母、次郎ともうまくいかず、孤立を深め、家庭内に異様な緊張が支配するようになる。家をでて下宿を決意する次郎は、兄の同僚のHに兄を誘い出して旅行に連れだしてほしいと頼み、Hは引き受ける。Hは旅先での一郎の異様な言動を手紙で次郎に知らせてくる。その長い手紙が、第三要素の主要な内容である。

孤独と孤立の悩みをHに告白する一郎は、妻に暴力をふるったことを自白して次のように語る。「一度打っても落着いている。二度打っても落着いている。三度目には抵抗するだろうと思ったが、矢っ張り逆らわない。僕が打てば打つほど向うはレディーらしくなる。そのために僕は益々無頼漢扱いにされなくては済まなくなる。僕は自分の人格の堕落を証明するために、怒りを子羊の上に洩らすのと同じことだ。夫の怒りを利用して、自分の優越を誇ろうとする相手は残酷じゃないか。君、女は腕力に訴える男より遥かに残酷なものだよ」。

Hは一郎の精神状態を分析して次のように言う。「兄さんは鋭敏な人です。美的にも倫理的にも、智的にも鋭敏すぎて、つまり自分を苦しめに生れて来た人の様な結果に陥っています。…兄さんは自分が鋭敏な丈に、自分のこうと思った針金の様に際どい線の上を渡って生活の歩を進めて行きます。その代り、相手も同じ際どい針金の上を、踏み外さずに進んで来てくれなければ、我慢しないのです。しかしこれは兄さんの我儘から来ると思うと間違いです。兄さんの予期通り兄さんに向かって働き懸ける世の中を想像してみると、それは今の世の中より遥かに進んだものでなければなりません。したがって兄さんは美的にも智的にもないし倫理的にも自分程進んでいない世の中を忌むのです」と。

そして一郎の「死ぬか、気が違うか、それでなければ宗教に入るか。僕の前途にはこの三つのものしかない」という告白を紹介したHは、「兄さんは幸福になりたいと思って、ただ幸福の研究ばかりしたのです。所がいくら研究を積んでも、幸福は依然として対岸にあったのです」という。

一郎、否、漱石の憂鬱、神経症は、もちろん彼自身の病的心理に由来する。しかし、大逆事件のあと軍国主義、帝国主義へとひた走る当時の日本において、まともな良心をもつ知識人が直面せざるを得なかった追い詰められた心理状態をそこに見ないわけにいかない。弟子でもあった芥川龍之介が、「僕は現在、僕自身についてはもちろん、あらゆるものに嫌悪を感じている」との遺書を残して自殺したのは、一五年後の一九二七年であった。

xiii、『こころ』（第九巻）

漱石の「こころ」が朝日新聞に連載されて一〇〇年ということで、同紙がこれを記念して再連載をはじめるとともに、漱石特集を組んだりしている。そんな機縁で、読んでみようかという気になった。最初は、あまり身が入らなかったが、次第に面白くなり、あっという間に最後まで読み切った。奇妙な作品である。

漱石自身が語っているように、最初はもっと大がかりなストーリーを考えていたようなのだが、連載の途中で中断してしまったのである。したがってとてつもなく不均衡で、話が尻切れトンボに終わっている感を否めない。明治天皇の崩御と乃木大将の殉死という事件が、おそらく漱石にこの作品を書かせる動機となっている。乃木は若い時たしか西南戦争だったかと思うが、軍旗を敵に奪われて、天皇に申し訳なく、死んで詫びようと考え、それを信条に生きてきた。天皇への殉死は当然の帰結であった。同時代を生きてきた漱石は、そこに明治の終りを見たのかもしれない。

話は、書生の私が先生に出会うところから始まる。この先生は、実は先生でもなんでもないのだが、生活に困らず職業ももたず、夫人と二人で隠遁したような生活を送っている。月に一回一人で雑司ケ谷の墓地にでかけるのが、唯一の決まった外出である。私は、この先生の知性と人柄に惹かれて、交友をふかめるのだが、世に背をむけてどこか影があるこの人物に謎めいたものを感じている。郷里にいる自分の父親が危篤になり、私は帰省して父親を見守るが、そこへ先生から分厚い手紙が届く。手紙を読んだ私は、いまにも息を引きとろうかという父を置いて、咄嗟に東京へと引き返す。ここで、この作品は終わるのである。私は卒業論文をしあげて大学を卒業したばかりで、就職もきまっておらず、これからの身の処し方も定まらない身である。が、それらの問題を投げかけながら、作品は未解決のまま終わる。したがって、この作品の主要な部分は、先生が書いた長い手紙ということになる。

この手紙に何が書かれていたか？　そこには、先生が世の中に背を向け、世捨て人のように生きるようになったのはなぜか、なぜ月に一回雑司ケ谷墓地に出向くのかという顛末が事細かく記されている。若い時に恋愛問題で親しい友人を裏切るという罪のうえに、この人の人生がなりたっている。その罪の意識から逃れられない先生は、乃木とおなじように死ぬことだけを考えて生きてきたのだった。先生は、自らの生命を断つ前に、私にその秘密を語るのである。「こころ」という題名は、おそらく先生のこころの葛藤からきているのであろう。

親しい友人とともに、一人の女性を好きになり、その友人からその女性への思いを打ち明けられた先生は、友人への援助を買って出るのだが、結果的に友人を出しぬく形でその女性と一緒になる。友人は自殺する。こうして得た愛と幸せを、みずから許すことができるか？　ここに、生と死と愛情の葛藤が生まれるのである。先生の死を、漱石は乃木の殉死になぞらえたのだろうが、はたしてそうか？　乃木の殉死は、天皇という政治体制への乃木の封建的な倫理観が根本にあるが、「こころ」の先生のばあいは、まったく個人的な問題である。そのかぎりでは、きわめて通俗的なメロドラマともいえる。新聞の連載小説としては、うってつけではある。とはいえ、恋をめぐる友人とのこころの葛藤は、なかなか良く描かれている。そこに、この時代を生きた青年の倫理と心情をみることができよう。その意味で、おもしろく読ませる作品ではある。

xiv、『道草』（第一〇巻）

一九一五年に「朝日」に連載された作品で、絶筆となった未完の「明暗」を除けば最後の長編である。『吾輩は猫である』執筆当時の漱石を主人公にした自伝的作品である。私小説的な書き方をしているのも、漱石にしてはめずらしい。小宮豊隆などはあまり評価しなかったようだが、逆に当時の自然主義派の評判はよかったそうである。

話は、主人公、健三夫妻のぎくしゃくした日常生活を横軸にしながら、おりにふれて健三の回想のかたちで自分の生い立ちが語られる。留学から帰国したばかりの健三は、勤め先から帰宅の途中、顔を見たくもないひとりの老人に出会う。島田というこの男はやがて健三の自宅までおしかけてきて、金の無心をするのだが、健三はこれを断りきれずにそのたびになにがしかを渡す。実はこの男はいきさつがあって縁を切ったものの、幼い健三が養子になったその父親である。

ここから健三の生い立ちについての回想になる。実家は維新まで名主だったがいまは生活も楽ではない。兄妹が多く末っ子に生れた健三はすぐ島田夫妻のもとに養子に出される。夫妻には大事に育てられるのだが、島田に他に愛人ができて夫婦仲が悪くなり、健三は九歳で実家にひきとられる。その時、父も母もかなりの高齢で、健三は養子の頃と同じように、両親をおじいさん、おばあさんと呼んでいたという。養子時代には、島田への手前、にこにこ顔で健三に対していた父は、健三を引き取ったとたんあからさまに厄介者扱いをするようになる。そんな家庭環境からぬけだすことを念じつつ成長するのが、健三である。

このあたりは、ほぼ事実に即して書かれているようで、漱石の生い立ちを知る上で貴重なてがかりを与えてくれる。小宮豊隆の伝記『漱石』でも、この作品から多くの引用をしている。

健三には姉がおり、夫の収入が少なくて生活が苦しく、健三はこの姉に毎月なにがしかの小遣いをやっている。妻の里でも義父が株で失敗したとかで生活に窮している。こうした金銭問題もからむわずらわしい家族関係から、健三は超然としていたいのが、現実はそうはいかない。親戚づきあいもろくにしない健三は、家族、親族からは変人としてのけ者にされてもいる。こうしたややこしい人間関係にうんざりしながらかかわらざるを得ない日本の現実にこそ、この作品が描こうとする世界がある。

もう一つは、健三夫妻の関係である。世俗な世界にそだった妻は、世間に背を向けて一人超然としている夫を理解できない。「何うせ貴夫の目から見たら、妾なんぞは馬鹿でせうよ」が妻の口癖である。島田に金を渡したことをめぐって言い争い健三が書斎に引き揚げじっと座していると、「細君の方でも、家庭と切り離されたやうな此の孤独な人に何時迄も構ふ気色を見せなかった。夫が自分の勝手で座敷牢へ入っているのだから仕方がない位に考へて、丸で取り合わずにいた」という次第である。

「『あらゆる意味から見て、妻は夫に従属すべきものだ』　二人が衝突する大根は此処にあった。夫と独立した自己の存在を主張しようとする細君を見ると健三はすぐ不快を感じた。動もすると、『女の癖に』という気になった。それが一段と劇しくなると忽ち『何を生意気な』という言葉に変化した。細君の腹には『いくら女だって』という挨拶が何時でも貯えてあった」というわけである。

おそらくこれは、漱石夫妻のありのままの姿をえがいたものであろう。漱石の妻は、それなりの自己主張をする自立心のある女である。きむずかしい夫に手を焼きながら、一歩距離を保つことでバランスをとっているのだが、それがまた漱石には気にくわない。こうした意味で、『道草』の細君は、『行人』の二郎の兄と嫁の直の関係の延長にある。

XV、『明暗』（第一一巻）

作者の絶筆となった最後の未完の長編である。一九一六年（大正五年）五月二六日から一二月一四日まで一八八回「朝日」に連載された。漱石は同年一二月九日に亡くなっているから、死後も連載されていたことになる。

漱石の作品の多くが男女の関係をテーマにしているが、この作品も同様で、津田というインテリの男性とお延という聡明な妻との葛藤が中心になっている。端から見ればこれ以上ない仲の良い似合いの夫婦なのだが、実は微妙にしっくりいっていない。いったいなにがあるのか。お延からみると夫は親切で丁寧、妻を大事にしてくれるのだが、どうしても心から愛されていると感じられない。なにか自分に隠していることがあるのではないか、との疑念が絶えず頭にある。津田は津田で、妻がそうした思いをもっていることを十分承知なのだが、自分のすべてをさらけだして妻の信頼を得ようとはしない。お延の実家や世話になった岡本という叔父が裕福であるのにたいして、津田は、実家からの仕送りに頼る生活で、そうした資産には無縁な男であるという引け目もある。お延はお延で、一目惚れで周りを説得して津田に嫁いだという経緯もあり、津田に対する不満を家族やまわりの人に相談することもはばかっている。夫婦の間のそういう微妙な心理的行き違いと葛藤を、作者はこれでもかとたんねんに辿っていく。この辺りは漱石と鏡子夫人との関係をリアルに描きだしたものであろうか？

津田は、痔疾の病で入院して手術することになる。その留守宅に、津田の知人で育ちも人柄もよくない陰湿な小林という男が訪ねてくる。津田の過去を良く知っているらしく、お延になにやらいわくありげなほのめかしをしていく。夫への疑念を膨らませるお延は、病床の夫に詰め寄るのだが、津田の態度はのらりくらりで、一向に要領を得ない。そこへ津田の上司で恩義のある吉川の夫人が訪ねてくる。この夫人は、津田と気が合う。お延にはいつもピリピリしている津田が心置きなく口の利ける人である。吉川夫人は、世間をよく知っているばかりか、津田がお延に隠している過去を一番よく知っている人でもある。

夫人は津田に過去ときちんとけじめをつけるよう、説得する。退院した津田は、吉川夫人の勧めで、術後の療養という名目で箱根の旅館に逗留し、そこである女性に会う。これが吉川夫人の知恵による行動である。お延には秘密である。

はたして津田の抱える問題はこれで解決するであろうか？　作品はここで終わっている。だから未完である。ちなみに、水村美苗という作家がこの続編を書いているというから読んでみようと思う。

この作品の特徴は、津田とお延はもとより、ふたりのまわりの人物の心理描写にある。それぞれの登場人物の会話について、ひと言ごとにその発言にこめられた心理や意図などについて長い解説がつくのである。例えば、吉川夫人が病室を訪ねたのをお延に隠していた津田が、問い詰められて訪問自体は認めざるを得なくなるくだりで、お延が「奥さんは何をしに入らしたんです」と津田を詰問すると、すぐに「お延は夫より自分の方が急き込んでいることに気付いた。此の調子で伸し掛かって行った所で、夫はもう圧し潰されないといふ見切りを付けた時、彼女は自分の破綻を出す前に身を翻した」といった解説がつくのである。

もう一つ興味深いのはこの作品に出てくる小林という人物である。津田が世話になった叔父のところで書生でもしていたらしいこの男は、血統も資産も学歴もなく安い原稿書きでくいつめてこれから朝鮮にわたろうかというのだが、津田の弱みを握っているようなそぶりで脅しともゆすりともとれる態度で津田に迫る。いわばルンペンであるが、こういう貧しい無産者を登場させるのは、漱石の作品には珍しい。そのセリフがまた、無産者の富者への怨念や主張を代弁していて面白い。漱石の無産者への眼である。

xvi、『小品』（第一二巻）

漱石のロンドン留学当時から晩年までの小品を集めた巻である。「倫敦消息」「自転車日記」「文鳥」「夢十夜」「永日小品」「満韓ところどころ」「思い出す事など」「病院の春」「子規の画」「変な音」「手紙」「余と万年筆」「初秋の一日」「ケーベル先生の告別」「戦争から来た行き違い」「硝子戸の中」などが収められている。その多くは「朝日」に掲載されたものである。初めて接するものばかりだが、小説とはまた違った味があり、大変面白かった。

この中で、「倫敦消息」は、イギリス留学の体験記である。漱石が暮らしたロンドンは当時世界でもっともすすんだ資本主義の到達点を誇示する大都市であった。ここで、留学費を本代に殆どつぎ込んで貧しい下宿暮らしを送る漱石のようすがよくわかる。公園を散歩すると、あれは支那人か日本人かとささやかれ、下宿のおかみに単純な英語をいちいち「これわかりますか」と聞かれたかとおもうと、相手はシェイクスピアなど知りもしないといった具合である。漱石の西欧文化に対する疑心はここで培われたと言えよう。「自転車日記」は、ロンドンでノイローゼになってふさぎ込んでいる漱石が、健康のために自転車乗りをすすめられて練習する話である。

「文鳥」は、鈴木三重吉にすすめられて自宅で文鳥を飼って死なせてしまった話、「夢十夜」は、こんな夢を見たという話。「腕組みをして枕元に座っていると、仰向けに寝た女が、静かな声でもう死にますと云う」といった書き出しになっている。「永日小品」は二一八の文字通り小品からなる。いわば身辺雑記である。「元日」と題する最初のものは、元日に高浜虚子ら親しい友人たちがあつまったさい、虚子がつづみをもってきて叩くから、謡を引き受けてくれと漱石にたのむ。ひきうけたものの、虚子のつづみにあわせることが出来ず散々なできになった。それを友人たちに酷評されたという話である。どの話にも漱石の人柄がにじみ出ている。

「満韓ところどころ」は、親友で満鉄総裁になった中村是公（一八六七年～一九二七年）に招かれて満州を旅行した時の記録である。中村是公は満鉄の新入社員にむかって「夏目は吾輩の親友だよ。頭の悪い奴で、学校の成績はいつも尻から、二、三番だった」と語っていたそうである（注解より）。べらんめえ調の面白い人物だったようである。その友人との交わりや、行く先々で出会う人たちとの交友など、旅行記ではあるが漱石らしい人間観察と諧謔に満ちたエッセイになっている。支那人のクーリーなどが汚い身なりをしていることなどを描いているが、中国人や朝鮮人にたいしてけっして見下した態度をとらないところが、漱石らしい。

「思い出すこと」「病院の春」は、いわゆる〝修善寺の大患〟後の闘病記である。漱石は、体調をくずして伊豆の修善寺で療養中の一九一〇年夏、八〇〇グラムにおよぶ大量の吐血をして、人事不省におちいり、医師が家族を集めるよう指示するほどの危篤状態に陥る。東京から医師や看護師たちが招かれ、幸いに一命をとりとめ一〇月まで当地で療養を余儀なくされる。この療養中に、漱石が世話になっていた病院の院長、著作を学んでいた哲学者のジェームス、美人で有名な大塚夫人らが亡くなっている。死の淵からよみがえった自分と対比しながら、人の命のはかなさとともにみずからの幸せをかみしめずにおれない漱石であった。病床で、俳句をつくったり、漢詩を詠んだりしている。「ただ一羽来る夜ありけり月の雁」。人間嫌いを自任する漱石だが、このときばかりは医師や友人、家族のあたたかい看護と激励に、こころからの感謝を述懐している。

「子規の画」「変な音」「手紙」「余と万年筆」「初秋の一日」はいずれも単品エッセイ。「ケーベル先生の告別」「戦争の行き違い」は、東大教授を永年つとめたケーベルが祖国ドイツに帰ることになって、訣別の辞を書いて発表したところ、第一次大戦の勃発で本人が帰国できなくなる顛末を述べたもの。ケーベルは結局日本で亡くなっている。

最後の「硝子戸の中」は、晩年、療養をかねて自宅の書斎に閉じこもり、硝子戸越しに外を眺めたり、自分の生い立ちを振り返ったりして書いた連載。生まれてすぐに里子に出され、つづいて他家の養子になり、九歳で初めて実家に戻る生い立ち、そのためもあって幼少時に両親の愛情を受けることなく育ったことなど、漱石の人格形成を考察するうえで貴重な記録でもある。小宮豊隆の『夏目漱石』も、ここからかなり材料をとっている。子どものころ過ごした高田馬場から早稲田の一帯についての懐古も、生き生きしている。

xvii、『英文学研究』（第一三巻）

漱石の英文学研究を収めた巻である。

最初の「文壇における平等主義の代表者『ウォルト・ホイットマン』の詩について」は、アメリカの詩人ホイットマンについて、イギリスの詩人、シェレーやバイロンらと対比してその平等主義を高く評価し、絶賛した論文である。「いかにせん合衆国という前代未聞の共和国を代表するに適したる新詩人は屯として出現せざりしなり。然るところ天ここに一大偉人を下し大いに合衆国連邦のために気炎を吐かんとにや此の偉人に命じて雄大奔放の詩を作らしめ勢いは高原を横行する『バッファロー』の如く声は洪濤を掠めて遠く大西洋の彼岸に達し説くところの平等主義は『シェレー』『バイロン』をも圧倒せんとしたるは実に近来の快挙とは云うべからず」というわけである。

「さらば『ホイットマン』の平等主義は如何にしてその詩中に出現するかというに第一彼の詩は時間的に平等なり次に空間的に平等なり人間を視ること平等に山河禽獣を遇すること平等なり。平等の二字全巻をおうて遺す所なし」とも書いている。新大陸アメリカで、自由と平等を謳歌したホイットマンに対する漱石の心酔ぶりをうかがわせる。一八九二年、漱石が二五歳の帝大生だった時の論文である。若い漱石をとらえた自由と平等に対するこのような謳歌には、自由民権運動の影響を強く見ることが出来よう。そうした視点でみるとき、その後の明治国家主義の形成の中に身をおいた漱石が、いかにそれに批判的な目を向けていたかがよくわかる。

「英国詩人の天地山川に対する観念」は、一八九三年、大学三年生、二六歳の漱石がおこなった講演である。「（一）ポープの時代の詩人は、直接に自然を味わわず。古文字を弄して其の詩想を養いし事。（二）ゴールドスミス、クーパーは、自然の為に自然を愛せしにあらざること。及びトムソンの自然主義は、単に客観的にして、間々殺風景の元素をふくむ事。（三）バーンズは情により、ウオーズウォースは智より、共に自然を活動力に見立てたる事。及び自然主義は此の活物法に至って、其の極に達する事等なり」と論を結んでいる。

「トリストラム・シャンデー」は、一八九七年、漱石が熊本高校時代の作。ローレンス・スターン（一七一三～一七六八）という作者によるこの小説は九巻におよぶ荒唐無稽な作品で、時間空間を超越したその叙述はのちの「意識の流れ」の先駆ともいわれる。まったく白紙の章があったり、棒線や曲線だけをならべた章があったり、まるで人を食った諧謔趣味の作品であるという。漱石の『吾輩は猫である』はその影響をうけているともいう。漱石が初めて日本に紹介したようで、のちに岩波文庫で翻訳されているというので書店で探してみたが、見当たらなかった。ところが数日前に、自宅近くの古書店、ブック・オフで偶然見つけて購入し、読み出した。

「英国の文人と新聞雑誌」は、やはり熊本高校時代の一八九九年執筆、『ほととぎす』に掲載されたもの。イギリスにおける新聞の発達史をたどりながら、文学や文芸がどう新聞に取り入れられていくかをたどったもの。「小説『エイルキン』の批評」は、やはり同年『ほととぎす』に載ったもの。イギリスで当時ベストセラーになった小説の紹介である。「マクベスの幽霊に就いて」は、シェイクスピアの「マクベス」に出てくる幽霊は、一人か二人か、ダンカンとバンコーのいずれか、先に出てくるのがダンカンで後に出てくるのがバンコーか、それとも逆か?といった問題をめぐるイギリスでの論争を紹介している。

他に、翻訳、英詩、講義が収録されているが、そこまでは付き合いきれない。それにしても、漱石の英文学研究にまで付き合おうとは思いもよらなかったが、まったくの素人なりに得るところがある。

xviii、『文学論』（第一四、一五巻）

第一四巻は、漱石がイギリス留学中にあたため、帰国後、東京帝大でおこなった講義をまとめた文学論である。第一五巻は、その翌年に「一八世紀の英文学」と題しておこなった講義を訂正、加筆して明治四二年に出版したものである。

留学中に漱石は、文学とはそもそもなにか、自分が英文学を研究する意義はどこにあるのか、さらにそもそも自分はなにものかと自問し、文学、英文学だけを勉強しても回答は得られない、むしろ哲学や心理学、社会学などを学んで、大きな視野のなかで文学を位置づけないといけないと考えて、そういった方面の勉強をして、自分独自の文学論を作り上げようと考えた。その成果が、一四巻の文学論である。

詳しいことは省くが、漱石は文学の核心を、F＋fにあるとみなす。Fは Fact すなわち事実、焦点、つまり事実認識である。これにたいしてfは、feeling すなわち感情である。事実あるいは事実認識と感情、この統一が文学の本質だというのがその議論の中核をなしている。だからその文学論は、哲学からはじまり、心理学、芸術論、ロンドンの街のようす、人々の生活状況の説明、解説を延々と述べた上で、はじめて、文学の知的要素、感情的要素、倫理的要素などを分析的に説明していくといった、独特の議論となっている。

漱石が、認識と感情、真理と倫理、価値といった問題意識から文学論を展開しているのは、注目に値する。現実の認識、事実の描写だけに文学を閉じこめる当時流行の自然主義を批判的に念頭に置いた漱石流の文学原論といってよい。

これにたいして一五巻は、一八世紀のイギリス文学という限定されたテーマのもとに、一八世紀のイギリス文学の具体的な作品をとりあげている。アジソン、スティール、スゥィフト、デフォーである。

これらの作品論にはいる前に漱石は、当時のイギリスの哲学、ロック、バークレー、ヒュームや絵画、社会情勢を論じている。社会的には、その前の世紀の名誉革命以降、社会が成熟し落ち着いて、創造性や独創性、ロマンに欠ける社会になっていて、文学もその時代を反映しているという分析をおこなっている。アジソン、スティールの作品に、鋭さや大胆さ、深さが欠け、韻律の整合性などに力をそそぐが常識的で陳腐、独創に欠けるのは、その時代を反映しているというのである。

これに対して、スゥィフトはどうか？　その徹底した風刺精神を、漱石はアイルランド出身のスゥィフトの生い立ちなどもからむ個人的天性とみているようだ。「『ガリヴァー旅行記』は名著の一つである。彼は最強大なる風刺家の一人である。彼は理非の弁別に敏く、世の中の腐敗を鋭敏に感ずる人である。病的に人間を嫌忌したという名を博したにも係わらず、親切な人である。正義の人である。見識を持つ人である」と評価している。漱石はスイフトへの共感を隠さない。

もうひとりは、アレキサンダー・ホープである。このひとは詩人だが、およそ詩の対象とならないような理屈っぽいテーマをとりあげたようだ。社会的な道徳や忠告を詩の形式でうたいあげ、それが人々の人口に膾炙するようになったという。ロマンや叙情に才能がなかったわけでないのに、なぜホープがそうした方向に自分の才能をつかわずに、『批評論』『人間論』といったものから、他者を手厳しく誹謗した『ダンシアット』といった作品などを著したのか？　ここにも、漱石は時代と社会の反映を見ている。つまり、社会が成熟し、もはや開発し開拓する時代でなくなり、それまでにつくりあげたものを整理し、整える時代になった、その状態がホープの作品に集約されているというのである。こうしてみると、漱石のイギリス文学論には、社会的存在が社会的意識を規定するとみるわれわれのいう史的唯物論につながる観点が太く貫かれていると言っていいであろう。

ホープに関連して興味深いのは、文化的歴史的土壌の異なる日本人が英文学に接して避けられない違和感を、漱石が率直に告白していることである。自然の美、人情の粋を大事にしてきた日本人である。「幾百年の間こんな文学に養われてきた日本趣味の眼で以て、突然西欧の詩に接すると、あまりに懸け離れた相違のあるのに驚く事が多い。日本や支那の詩歌文章が好きだからして、西洋の者も文学に変わりあるまい位に考へて外国文学を遣りだすと、大変な失望に陥る。現に私なども遣りだした当時は慥に其の一人であった。此れも詰らん。彼も詰らんと思った。然もそれが有名な傑作なんだから心細くなる。甚だ不愉快である。斯様に日本人と西洋人の間には、相違がある」（三六一）イギリス文学に対するこのような違和感に発して、日本人として西洋文明文化に対してどういう態度を取るべきかをつきつめ、開き直るところに、漱石の漱石らしさがある。

最後にデフォーである。『ロビンソン・クルーソー』で著名な作家である。この作家に対する漱石の点は辛い。作品に一貫する統一性がない。そのため長すぎて読めない。あるいは文章が実務的で、情緒も面白みもないという。『宝島』で知られるスティーブンソンの文章と比較して次のように言う。「用向きはよく弁ずる。誰も迷いっこない文章である。然し一方から云えばスティーブンソンも亦簡潔明瞭である。用向きはデフォーに劣らざる位よく弁じている。二人の優劣は用向きを弁じる弁じないの点ではない。銅貨と金貨との差である」「デフォーの小説はある意味に於て無理想現実主義の一八世紀を最下等の側面より代表するものである」と手厳しい。漱石はデフォーに理想を欠いた一八世紀の時代精神の典型を見ているのだ。

xix、『評論ほか』（第一六巻）

この巻には、評論、講演とほかに漱石が友人らの著作刊行にあたって頼まれて書いた序文や、「こころ」など自分の作品の予告などを収録している。評論、講演のなかには、熊本高校時代に書いた「愚見教則」、明治四〇年（一九〇七年）「朝日」新聞社への入社にあたっての「入社の辞」、同年「朝日」に一七回に渡って連載した「文芸の哲学的基礎」、四一年「ホトトギス」に載せた「創作家の態度」、四三年に「東京朝日」で軍神とされた広瀬中佐の詩をこきおろした「艇長の遺書と中佐の詩」、四四年に「朝日」に二回に渡って載せた「文芸委員は何をするか」、四四年に関西でおこなった講演「道楽と職業」「中味と形式」「文芸と道徳」、「現代日本の開化」、大正三年（一九一四年）に「朝日」に掲載された「素人と黒人（玄人のこと）」、同年、学習院大でおこなった講演「私の個人主義」さらに、大正五年に発表された、まとまった評論としては最後の「点頭録」（一九一六年一月「朝日」に発表）などが収められている。ほかに、長塚節の「土」を論じた「長塚節氏の小説『土』」、「文展と芸術」などがある。

これらの評論、短文に接したのはもちろん初めてだが、漱石の文学、芸術観、社会と国家や戦争観などを直接に知ることができて大変面白く、興味深かった。ある意味では、小説以上に惹かれるところもあった。

すべてというわけにいかないがとくに印象深かったもののなかから若干のコメントと引用をしておく。「愚見数則」は、若い漱石の教育論だが愚直なまでの正義感に溢れている。「人を観よ、金時計を観る勿れ、洋服を観る勿れ、泥棒は我より立派に出て立つものなり」など。「入社の辞」には、権威や肩書きを忌み嫌う漱石の人格がみごとに語られている。「新聞屋が商売ならば、大学屋も商売である」「新聞が下卑た商売であれば大学も下卑た商売である。只個人として営業しているのと、御上で御営業になるのとの差丈けである」といった具合である。

このような観点は、「文芸委員は何をするか」にも貫かれている。政府が官選の文芸委員を指名して、文芸作品を審査させ、選別、序列をつけることの愚劣さと弊害を手厳しく批判している。官選の委員の権威でことが運ぶようになるなら、「その起因するところが文芸そのものと何ら交渉なき政府の威力に本づくだけに、猶更の悪影響を一般社会――ことに文芸に志す青年――に与ふるものである。是れを文芸の堕落と云うのは通じる」とこっぴどく批判する。「文展と芸術」では、「芸術は自己の表現に始まって、自己の表現に終わるものである」との立場から、文部省による官設美術展を論じている。そこでの漱石の歯に衣を着せぬ作品評はなかなか面白い。

「文芸の哲学的基礎」は、イギリス留学の成果をまとめた「文学論」を圧縮した内容で、当時流行した狭い意味での自然主義が、ありのままの事実、真実の追究以外を文芸から排他的に退ける傾向を持っていたのに対する批判という視点で書かれたものである。文学、文芸を真善美荘（荘厳）という人間のもつ価値観、心の総合的な視点から捉え位置づける必要を説いている。そして、自然主義を時代の趨勢として、それなりにその意義をみとめつつも、道徳や美、理想など、事実認識や真理以外を排除するその文芸観の一面性、偏狭性をきびしくしりぞけている。倫理や美を重んずる漱石の文学観、文芸観の真骨頂をしめしているといえよう。

「文芸と道徳」では、維新以来の日本における道徳観の変化、封建的規範主義から正邪の両面をもつありのままの人間を肯定する人間的な倫理への発展を評価しつつ、そうした進歩に文学も対応すべきことを説いている。「素人と黒人」では、「自分は文芸上の作品に就いて素人離れのしたさうして黒人染みないものが一番好いという事をよく人に云った」として、黒人（玄人）の陥りやすい技術至上主義や惰性を批判し、素朴だが素人の率直な眼を評価している。

「現代社会の開化」は、維新以来の文明開化を漱石がどうみているかが如実に分かってとくに興味深かった。「一言にして云えば現代日本の開花は皮相上滑りの開化であるという事に帰着するのであります。無論一から十まで何から何までとは言えない、複雑な問題に対するさう過激の言葉は慎まなければ悪いが我々は開化の一部分、或いは大部分はいくら自惚れて見ても上滑りと評するより致し方がない、併しそれが悪いからお止しなさいと云うのではない、事実已むを得ない、涙を呑んで上滑りに滑って行かなければならないと云うのです」。文明開化にたいする漱石のこの態度、観点は、当時の日本における文明開化の実相を的確に深いところから捉えた卓見といえよう。やめるわけにはいかないが、なんともうわっ滑りな、危うい虚飾にみちた大勢として、漱石は急転する開化を受け容れつつも冷静で冷ややかな態度をとる。それはある意味で、すぐれて時代を超えている。漱石がそうした視点で作品を書いてきたことが、それらが今日まで生命力を持つ大事な鍵になっていると私は思う。

もう一つなにより私の興味を惹いたのは「私の個人主義」である。学習院の生徒を前に自分が英文学を専攻し、イギリスに留学しながら、英文学とはなにかがわからず、それどころか、イギリス人、ヨーロッパ人の文学論、作品論に本質的な違和感をもち続け、自分がなぜ英文学をまなぶのか、そもそも自分は何者かを疑い、悩みながら模索する青春時代を回想する。そして、苦しみぬいた挙句ようやく探り当てた自分の立脚点、それが「私の個人主義」だと解説をする。そこで漱石が言う個人主義とは、もちろん国家主義に対比する面もあるのだが、本質はヨーロッパの文化・文明の受け売り、それへの追随、すなわち他人本位ではなく、自分の眼で、自分の考えでとらえ、それを評価や判断の中心にすえる立場ということである。

「たとへば西洋人が是れは立派な詩だとか、口調が大変好いとか云っても、それは其の西洋人の見る所で、私の参考にならん事はないにしても、私にさう思へなければ、到底受売りすべき筈のものではないのです。私が独立した一個の日本人であって、決して英国人の奴婢ではない以上はこれ位の見識は国民の一員として具へていなければならない上に、世界に共通な正直という徳義を重んずる点から見ても、私は私の意見を曲げてはならないのです」、これが漱石が悩みに悩んだ末到達した結論だった。これを彼は「私の個人主義」というのである。今日、これを私流に言い直せば、「自主独立の立場」ということになる。西洋文明の圧倒的影響のもとに、福澤諭吉が「脱ア入欧」を説き、庶民の間では舶来品が無条件に崇められた時代に、夏目漱石は苦しみぬいた末に「自主独立の立場」を確立して、それを最大の信条として明治の時代を生き抜いたのである。これは当時としては、傑出した立場であり、今日のわれわれからみて時代の貴重な先駆けといわなければならない。

漱石は、この立場を「自己本位」という。「私は此の自己本位といふ言葉を自分の手に握ってから大変強くなりました」「自白すれば私は其四文字から新たに出立したのであります」「其時私の不安は全く消えました。私は軽快な心をもって陰鬱な倫敦を眺めたのです」と。漱石が日本の自立した知識人として、欧化の嵐が吹き抜ける明治の時代を生き抜くことができた秘密がここにある。それは、日本共産党がソ連、中国毛沢東派などの干渉に屈することなくたたかいぬいた根本に、苦難なたたかいをつうじて確立した自主独立の立場があったことにも通じる。

最後に、漱石の戦争観をとりあげたい。最後の評論「点頭録」は、一九一四年に勃発した第一次世界大戦を論じている。「自分は常にあの弾丸とあの硝薬とあの毒瓦斯とそれからあの肉団と鮮血とが、我我人類の未来の運命に、どの位貢献しているのだらうかと考へる。さうして或る時は気の毒になる。或る時は悲しくなる。又或る時は馬鹿々々しくなる。最後に折々は滑稽さへ感ずる場合もあるといふ残酷な事実を自白せざるを得ない。左様した立場から眺めると、如何に凄まじい光景でも、如何に腥ぐさい舞台でも、それ相応の内面的背景を具へて居ないという点に於いて、又それに比例した強固な脊髄を有して居ないという意味に於いて、浅薄な活動写真だの軽薄なセンセーショナルな小説だのと択ぶ所がないやうな気になる。……とすると、今度の戦争は有史以来特筆大書すべき深刻な事実であると共に、まことに根の張らない見掛け倒しの空々しい事実なのである」

ここには、帝国主義国家間による植民地再分割をめぐる争いという、歴史の表層にしか本来的意味をもたない戦争の性格が、文学者らしい直感で指摘されていると言って良いであろう。「艇長の遺言と中佐の詩」では、日露戦争中に旅順港で沈没した艦から避難するボートの中で、ロシア軍の集中放火をあびながらしたためた佐久間艇長の遺書と対比するかたちで、軍神に祭り上げられ、銅像まで建てられた広瀬中佐の詩を酷評している。世間で天まで持ち上げられたその詩とは、「七生報国　一死心堅　再期成功　含笑上船」というものである。「吾々は中佐の死を勇ましく思ふ。けれども同時にあの詩を俗悪で陳腐で生きた個人の面影がないと思ふ。あんな詩によって中佐を代表するのが気の毒だと思ふ」と。当時にあって大変な勇気を要したであろうこの評は的を射ている。明治四三年（一九一〇年）七月三〇日付「東京朝日」の文芸欄に載せた評論である。

XX、漱石の俳句（第一七巻）

漱石は生涯に二五〇〇余の俳句を残している。正岡子規との交友が、漱石を俳句に向かわせた最大の動機になっていることはよく知られている。二人の出会いは一九八九年、漱石が東京帝大に入る前年である。漱石の全俳句を収めた全集第一七巻冒頭の句は、「帰ろうと泣かずに笑へ時鳥」である。これは同年五月に吐血して病床に伏す子規を見舞った漱石が、子規を激励しようと作った句という。「啼いて血を吐く時鳥」と形容されるホトトギスは、当時死病とされた肺結核の代名詞だった。自分は帰るけれども、元気になって笑えるようになってくれよ、という意味であろう。

漱石が子規の郷里である愛媛県松山の中学校に赴任するのは一八九八年四月である。六月下旬に転居した漱石は下宿先を愚陀佛庵と名付ける。病気療養のため郷里に戻ってきた子規がこの愚陀佛庵に転がり込んできて漱石と同居しだすのは、同年八月末で、帰郷する一〇月一九日までここに滞在する。漱石が子規の指導のもとに「松風会」の句会に参加して最も集中的に俳句に取り組んだのが、この時期といえよう。「鐘つけば銀杏散るなり建長寺」というのもその一つだが、これは子規の「柿食えば鐘が鳴るなり法隆寺」のヒントになった句という。「お立ちやるかお立ちやれ新酒の花」は、帰京する子規を見送った句である。

子規去ったあと松山でのひとり暮らしのなかで詠んだ句には、「默然と火鉢の灰をならしけり」「淋しいな妻ありてこそ冬籠」「憂ひあらば此の酒に酔え菊の花」などという、独り身をかこつ句もある。その一方、「見ゆる限り月の下なり海と山」「限りなし春の風なり馬の上」といった、四国の松山ならではののどかな句もある。「菜の花を通り抜ければ城下かな」もそのひとつである。

松山中学を一年でやめた漱石がつぎに赴任するのは熊本にある旧制五高（現熊本大学）である。ここで四年三ヶ月英語教師を勤める。子規との友情で深まった漱石の俳句熱は熊本でも衰えず、俳句結社「紫溟吟社」をつくり、後に漱石と親交を結ぶことになる寺田寅彦ら学生が中心になって活発な活動を展開した。そんなこともあって、熊本ではいまも俳句が盛んだそうである。そういえば、熊本からは中村汀女や種田山頭火が出ているし、いまも長谷川櫂、正木ゆう子といった俳人がいる。寺田寅彦と同学年で上塚周平という俳人がいて、東京帝大卒業後ブラジルに渡って植民事業に尽力した。この人がブラジルに俳句を根づかせる基礎をすえたと、正木ゆう子さんが「朝日」（二〇一五年一月三日付）に書いている。ここにも熊本での漱石の影響をみることができる。

熊本での句には、「菫程な小さき人に生まれたし」「床の上に菊枯れながら明の春」「我に許せ元日なれば朝寝坊」「某は案山子にて候雀どの」といった句がある。そういえば、漱石が結婚したのも熊本であった。

漱石は一九〇〇年、熊本を去ってイギリス留学にむかう。いらい俳句はぐっと少なくなる。それでも句作は生涯にわたって続く。「手向くべき線香もなくて暮れの秋」は、一九〇二年、ロンドンで子規の訃報に接して詠んだ句である。「句あるべくも花亡き国に客となり」は、桜を見ることのできないロンドンの春を物足りなく想う気持ちを詠んでいる。

漱石がその後比較的熱心に句作にとりくむのは、病気で生死の境をさまよった修善寺の大患（一九一〇年）後の静養期である。医師をはじめ家族、友人、知人のおかげで命を拾った漱石の素直な気持を詠んだものが多い。「取り留むる命も細き薄かな」「仏より痩せて哀れや曼珠沙華」「生きて仰ぐ空の高さよ赤蜻蛉」「朝寒も夜寒も人の情けかな」「腸（はらわた）に春滴るや粥の味」など。「酒少し徳利の底に夜寒かな」「春雨や身をすり寄せて一つ傘」などは、晩年の落ち着きの中で詠まれた句である。全集のこの巻には、ほかに連歌や新体詩も収録されている。

xxi、おわりに

日記や断片、漢詩などがまだ残っているが、全集を読み出してほぼ一年になる。このあたりで一応区切りをつけたいと思う。通読してきての最大の感想は、陳腐かもしれないが、夏目漱石という人は激動の明治という時代を一人の日本人として苦しみながらひたむきに真面目に生き抜いた人だ、ということである。

幕府権力の末端をになう江戸の名主だった家に育った漱石にとって、落語や講談、歌舞伎、浄瑠璃、謡曲、俳句あるいは漢詩などの江戸の文化、芸術はみずからと切っても切り離せないアイデンティティーそのものであった。維新後、欧米文化を取り入れて近代化、欧化さらに富国強兵、国家主義の道をひた走る日本で、欧米の文化、芸術、思想にたいしてどういう姿勢でのぞむのか、また同時に、自国の歴史と伝統、文化にどういう態度をとるのか、すなわち日本人としての立ち位置をどこにさだめるのかは、漱石にとって、否、当時の日本人にとって解決しなければならない最大の問題の一つであった。

多くの人は好むと好まざるにかかわらず、何らかの程度に日本の伝統や文化を切り捨てる形で欧化、近代化を受け入れていった。もちろん少数だが、日本の伝統と文化にしがみつき、逆に外来文化には目をくれず時代に取り残されていった人もいたのだが。しかし、それでよいのか？　漱石の疑問はそこにあった。ヨーロッパ文明を早く吸収しなければ国が成り立ち得ない。同時に、歴史的文化的条件を異にする日本で、ヨーロッパ社会が数百年の歳月をかけて蓄積し積み上げてきたものを短期間に吸収しものにしようとすればするほど、どうしても「上っ滑り」「皮相さ」や「危うさ」「ゆがみ」を避け得ない。

ロンドン留学などをつうじて、そのことを漱石は見抜いていた。それどころか、『吾輩は猫である』のなかの鈴木夫妻への苦沙彌先生の痛罵がしめすように、金がすべての世界、すなわち資本主義にヨーロッパ文明そのものの行き詰まりをも漱石は直感していた。しかも、大逆事件にもみるように、日清、日露戦争を経て明治国家が歩む道は、個人の自由も人間そのものをも押しつぶしかねない。新しい社会勢力である労働者階級を中心とする社会変革の運動は、まだ黎明期にすぎない。

そんななかで、漱石が『行人』で一郎に語らせているように、この時代にまともにたちむかう人間にとって「死ぬか、気が違うか、それでなければ宗教に入るか。僕の前途にはこの三つのものしかない」という状況は、真面目に生きる当時の知識人にとって、けっして例外的なことではなかったのである。

日本の伝統文化のなかで育った若い漱石は、当時の文明を象徴する英文学を学んでそこに尋常ならざる違和感を覚え、なぜ自分は英文学を学ぶのか、学ぶに値するのか、英文学とは何か、そもそも自分は何者かと問い、悩み抜く。イギリス留学中に「夏目狂へり」と噂されたのもこの根源的な問いと悩みが根本にあった。そして悩み抜いた末に漱石がついに到達したのが「自己本位」の立場であった。英文学、否、欧米文化、文明に対してこれを無批判に受け入れるのでも、ただ模倣して受け売りするのでもなく、自主的な立場、「自己本位」の立場でたちむかうことこそ重要なのだ、という悟りである。そのことは、欧米文化に背をむけることではない。吸収するものは吸収する。しかし、受け入れがたいものは率直に批判する、そういう自主的な立場である。

すでに紹介したように漱石は述懐している。「私は此の自己本位といふ言葉を自分の手に握ってから大変強くなりました」「自白すれば私は其四文字から新たに出立したのであります」「其時私の不安は全く消えました。私は軽快な心をもって陰鬱な倫敦を眺めたのです」(「私の個人主義」)と。

この立場は当然ながら、欧米に対して卑屈になることなく自国の伝統や文化、芸術を誇り肯定する立場でもある。漱石はこういう境地にいたったとき、「強くなり」「不安はまったく消え」たのである。留学から帰った漱石が、みずからの江戸っ子かたぎや落語調に自信をもって、『吾輩は猫である』や『坊っちゃん』を一気に書きあげていったのも、この立場、境地に立ってはじめて可能になったといえよう。漱石の作品には、日本人が親しんできた伝統的な文化、芸術、あるいは思考様式、語り口への愛着がいたるところに見られる。同時に西洋文明、文化についての広い知識も駆使されている。ここに、漱石の作品が一〇〇年をへてなお日本人に愛され、漱石が国民的作家と呼ばれる最大のゆえんがあるのではなかろうか。一九五〇年、六〇年代に苦しみぬいた末に自主独立の立場を確立して、「強くなり」「不安なく」この半世紀余をたたかってきた党の一員として、あらためて漱石を読んだ私なりの結論である。

なお、漱石の立場が、当時よく口にされた「和魂洋才」とは異なることにも注意を促しておく。「和魂洋才」は、科学や技術については西洋を受け入れるが、こころ、精神は西欧を受け入れず日本古来の独自のものをという考え方である。漱石は、哲学や文学、芸術にいたる精神文化、こころの問題でも、西洋の良いところは積極的に受け入れる、逆に日本古来のものでもすべてを肯定するというのではなく、捨てるものは捨てるという立場である。そのことは、「文芸と道徳」で、維新以来の日本人の倫理観の発展をふりかえり、文芸がこれに対応すべきだと説いているのを見ても明らかである。漱石の「自己本位」の立場とは、「和魂洋才」という精神的排外主義とは無縁であった。

漱石とわたし

数年前にリタイアした私は、それまで果たせないできた読書にとりあえずとりくむことにした。夏目漱石の作品もそのなかにあった。たまたま朝日新聞が『こころ』の連載から百年ということで、作品を紙上で再連載するとともに、漱石特集をいくつか組んだ。それらに目をとおすうちに、この機会に漱石全集を読んでみようという気持ちになり、岩波書店版の漱石全集に挑んだ。読み進むにつれて次第に関心と興味が高じて、小説だけでなく、文学論や評論、短文にも読み進んだ。そこでは、小説では伝わってこない漱石の人柄やものの考え方などがわかって、一段と興味が深まった。西欧文明に対する漱石の姿勢、女性観、文学観など、今回の読書から学んだものは多い。そのなかで、私個人にかかわる発見もあったので紹介しておきたい。

i

全集の第三巻には、『草枕』（一九〇六年）、『二百十日』（一九〇六年）、『野分』（一九〇七年）の三篇が収録されている。いずれも初期の中編作である。

『草枕』の書き出しは有名である。「山を登りながら、かう考えた。智に働けば角が立つ。情に竿させば流される。意地を通せば窮屈だ。とかくこの世は住みにくい。住みにくさが高じると、安い所へ引き越したくなる。どこへ越しても住みにくいと悟った時、詩が生まれて、画が出来る」しかし、この作品が何を描いているかは意外と知られていない。この作品は、漱石の芸術論である。

続いて書かれた『二百十日』は、『草枕』とは対照的に、この世に生き、この世を告発する作品である。主人公の圭さんと碌さんが二人で阿蘇山に登り、台風に遭遇して命からがら宿に戻るという話である。圭さんは、豆腐屋の出身で貧しく、門閥や身分とは無縁の存在で、自分の不遇を呪い、富豪や貴族などの生活と不合理を激しく攻撃する。いわば頭による社会革命を主張し、碌さんに同調を求める。悪事を重ねる華族や金持ちを告発して「『そんなものを成功させたら、社会は滅茶苦茶だ。おいそうだろう』『社会は滅茶苦茶だ』『我々が世の中に生活している第一の目的は、かういふ文明の怪獣を打ち殺して、金力も力もない、平民に幾分でも安慰を興えるのにあるだらう』」というわけである。一九〇六年（明治三九年）といえば、社会主義思想が日本に入ってきたばかりのときである。その時期に漱石がこういう主張を堂々とかかげているのに驚かされる。そういえば、漱石はイギリス留学時代にマルクスの『資本論』にも接している。

この作品が書かれた動機について十川信介著『夏目漱石』（岩波新書）が次のようにして指摘している。「文部大臣牧野伸顕が青年――学生の思想に対して「文部省訓令」を出し、『極端ナル社会主義』流行への懸念を表明したのは明治三九年六月九日である。それを知った漱石が、直ちに執筆したのがこの小説だと推定される。すでに早く、彼はロンドンから岳父の中根に『カール・マークス（マルクス）』の名を出し、その論には欠陥があるかもしれないが、『今日の世界に此の説の出づるは当然の事』と記していた。社会主義を全面的に支持していたわけではないが、漱石は地位や金力で青年の思想を弾圧する当局の傾向を、無視することが出来なかったはずである」（一四一頁〜一四二頁）

なお、漱石は熊本時代に実際に阿蘇山に登って道に迷っている。その時の体験を「阿蘇の山中にて道を失ひ終日あらぬ方にさまよふ」と前書きして、「灰に濡れて立つや薄と萩の中」「行けど萩行けど薄の原広し」と俳句に詠んでいる（全集第一七巻）。

『野分』は、『二百十日』を発展させた作品ということができよう。『坊ちゃん』の主人公を思わせる道也先生は、新潟県などで中学校の教師をしていたが、勤める学校で生徒や父兄の反発にあって学校を追われ、上京してしがない編集者をしながら売れない反骨の文章を書いている。そこに登場するのが年下の友人、高柳君である。高柳は、門地も身分もなく大学を出たが不遇をかこつけていて、ついに結核をわずらい、裕福な親友の中野から提供された治療費で療養することになるのだが、その金で生活に窮する道也の原稿を買い取るのだ。そのさい高柳は道也にむかっていう。「先生私はあなたの、弟子です。――越後の高田で先生をいじめて追い出した弟子の一人です。――だから譲って下さい」と。原稿の買い取りは高田での若気の罪滅ぼしというわけである。

なんと、ここに出てくる越後の高田（現在の上越市）は私の故郷で、高田中学（高校）は私の出身校である。漱石がわが郷里と母校に材をとった作品を書いていたことを、この歳になって初めて知ろうとはなんたることか！　高田は一八八三年（明治一六年）の高田事件（政府転覆のいいがかりで三七人が逮捕された事件）で知られるように、自由民権運動の盛んなところだった。その影響もあって、藩校脩道館に発し一八八四年に開校した高田中学にはかつて生徒がしばしばストライキをおこすなど剛毅な気風があった（私が在学したころは、ひたすら勉強の受験校であったが）。町のはずれに日本におけるスキー発祥の地・金谷山という山があって、ことあるごとにそこに生徒がたてこもり、同情した市民が食べ物などを運んでやったという話が、在学時代に生徒の間に口づてに伝わっていた。余談だが、私が在学した当時、校長先生は小和田毅夫といって、いまの皇后雅子さんの祖父である。この人について私が記憶しているのは、入学式のあいさつで「本校のモットーは、第一に勉強、第二に勉強、第三に勉強である。よって修学旅行など無駄なことはやらない」という講話をされたことである。当時、小和田一家の住まいは高田にあり、雅子さんの父の小和田恒氏ら兄弟姉妹も高田高校に学んでいる。

生徒が騒動をおこして教師が追われるという『野分』の設定は、高田中学について相当詳しい知識がないかぎり無理である。漱石は、なぜ越後の高田や高田中学を知っていたのか？ 私がこんな疑問を抱いても不思議はなかろう。漱石初期の作品「坊ちゃん」には漱石を可愛がった女中の清という人物が登場し、愛媛に赴任する坊ちゃんが土産になにがほしいかと問うと、「越後の笹飴が食べたい」といったという話が出てくる。しかし坊ちゃんは「越後の笹飴なんて聞いたこともない」と応じているから、この時点では漱石と越後、とりわけ高田との縁がないのは明らかだ。漱石がこの作品の二人の主要登場人物を高田中学にかかわる経歴の持ち主に設定したのはなぜか？ 漱石は、高田中学での当時の騒動についてどこでどうして聞き及んでいたのだろうか？ 漱石は高田中学とどういうかかわりがあったのか、どこから高田中学についての情報をえたのだろうか？ 私の疑問は、しだいに深まっていった。

ii

それからしばらくして、尾野真千子さん主演の連続ドラマ「夏目漱石の妻」がＮＨＫテレビで放映（二〇一六年）されたこともあって、書店の店頭に夏目鏡子『漱石の思い出』（文芸春秋）がならんでいるのをたまたま目にとめ、読んでみる気になる。精神に異常をきたしたときの漱石の乱心ぶりのすさまじさなど、妻でなければ知りえないリアルな情景や描写に満ち、漱石の人柄と家庭生活がよくわかって大変興味深かった。鏡子夫人を稀代の悪妻のようにいう風説とは反対に、見識と自立心をもった立派な女性であったことも良くわかった。この『漱石の思い出』のなかで、『野分』を読んだときに抱いた謎が解けたのである。

『漱石の思い出』には、漱石が胃潰瘍をわずらって伊豆の修善寺で静養中に大吐血をして危篤になったいわゆる〝修善寺の大患（一九一〇年）〟をめぐって、その時の漱石の容態や看護のようす、駆けつけた多くの見舞客などについてくわしく語られている。そのなかに東京の長與胃腸病院からかけつけて日夜必死で治療にあたった森成麟造（一八八四〜一九五五年）という医師が出てくる。漱石はなんとか健康をとりもどして帰京すると、お礼の気持ちを込めて「朝寒も夜寒も人の情け哉」という俳句をこの医師に贈り、その後もこの医師と親しくつきあっている。実はこの医師が新潟の高田出身だったのだ。森成医師は、漱石の治療にあたった翌年、郷里高田へ帰り、高田市内で開業している。高田中学から現在の東北大学医学部に学び一九〇六年に卒業して、東京の長與病院に勤務、同病院をかかりつけにしていた漱石の胃腸病治療にあたるのである。漱石がこの医師から高田のことや同医師の出身校である高田中学について耳にしたことはおそらく間違いなかろう。医師の話の中には、高田中学の剛毅な気風や歴史も当然あったであろう。漱石が『野分』で、この中学校の生徒に追われる元教師と生徒を主人公に設定したのは、森成医師から聞いた話にヒントを得たものと断じてさしつかえない。ちなみに『野分』が発表されたのは、森成医師が同病院に赴任した翌年である。

漱石が〝修善寺の大患〟の翌年、一九一一年に森成のたっての勧めで妻とともに、長野の善行寺参詣のついでに高田を訪れ、森成の新居に厄介になり、依頼されて高田中学で講演をおこなっていることも、『思い出』には記されている。そのさい奈良時代に国分寺があった直江津（現在は上越市内）の五智へも足を伸ばし、そのあと諏訪をまわって帰京している。これは、それにつづく京都旅行とともに漱石晩年の数少ない旅であった。

高田市の本町二丁目に開業した森成は、その後、医業のかたわら漱石を偲ぶ句会を催したり、中学時代から好きだった考古学に熱を入れたりしている。一九五二年に森成の主導で結成された上越郷土研究会は、多くの若い歴史研究者を輩出することになったという。会の機関誌「頚城文化」はいまも刊行されている。森成は上越の文化の亢進に寄与し、一九五五年、七一歳で他界した。ちょうど私が高田高校に在学していたころである。もちろんお会いする機会はなかったが、本町二丁目に森成医院があったことについては、いまもかすかな記憶が残っている。『野分』を読み、『漱石の思い出』で、漱石と自分の郷里高田や母校とのつながりについて新たに詳しく知ることができたことは、私にとって予期もしない得難い収穫であった。その感動を自分だけにとどめるのが惜しいような気がして、ここにしたためた次第である。（民主主義文学会・東京・町田支部『文芸多摩』一三号、二〇二〇年に補筆）

漱石と自主独立

漱石が生まれたのは一八六七年、徳川慶喜による大政奉還の年であり、明治新政府が発足する前年である。その意味で漱石は文字通り明治の人と言ってよかろう。日記や断片、漢詩などがまだ残っているが、漱石全集（岩波書店版）を読み出してほぼ一年になる。このあたりで一応区切りをつけたい。通読してきての最大の感想は、陳腐かもしれないが、夏目漱石という人は激動の明治という時代を一人の日本人として苦しみながらひたむきに真面目に生き抜いた人だ、ということである。欧米文化に対して漱石がどう向き合ったかに、その範例をみることができる。

i

維新後、欧米文明・文化を大急ぎで取り入れて近代化、欧化さらに富国強兵、国家主義の道をひた走る日本で、進んだ科学技術や政治制度はもとより、欧米の文化、芸術、思想をどううけとめ、それらにたいしてどういう姿勢でのぞむか、また同時に、自国の歴史と伝統、文化にどういう態度をとるのか、すなわち日本人としての立ち位置をどこにさだめるのかは、当時の日本人、とりわけ知識人にとってそれぞれ一人ひとりが回答を迫られる最大の問題の一つであった。

福沢諭吉が「脱亜入欧」をとなえたように、多くの人は好むと好まざるにかかわらず、何らかの程度に日本の伝統や文化を切り捨てる形で欧化、近代化を受け入れていった。「鹿鳴館」に象徴されるように、無批判、無条件に欧化し、欧米文化を手放しで礼賛する傾向もある時期までは支配的であった。もちろん少数だが、日本の伝統と文化にしがみつき、逆に外来文化には目をくれず時代に取り残されていった人もいなくはなかった。ちょん髷に固執し続けた人も存在した。「和魂洋才」を唱えて、欧米の物質文明は受容するが、思想と道徳、心は日本古来のものを至上とする人も少なくなかった。明治維新をはさんで、人々が直面したこの難問にたいして、英文学を専攻した漱石がひときわ鋭く向き合わねばならなかったのは、ことの成り行きでもあった。

幕府権力の末端をになう江戸の名主だった家に生まれ育った漱石にとって、落語や講談、歌舞伎、浄瑠璃、謡曲、俳句あるいは漢詩などの江戸の文化、芸術はみずからと切っても切り離せないアイデンティティーそのものであった。それだけに、舶来の欧米文化・文明を無批判にありがたがり、受け容れるような風潮にたいして厳しい批判の目を向けたのは当然である。アジアの多くの国々が植民地化される状況のもとで、欧米の進んだ文明・文化を早く吸収し、欧米諸国に劣らない水準に到達しなければ国が成り立ち得ない。同時に、歴史的文化的条件を異にする日本で、ヨーロッパ社会が数百年の歳月をかけて蓄積し熟成してきたものを短期間に吸収しものにしようとすればするほど無理があり、どうしても「上滑り」「皮相さ」や「危うさ」「ゆがみ」を避け得ない。漱石はその現実を直視し、悩むが、そこから目を背けない。

「現代日本の開化」と題する講演(一九一一年)のなかで漱石は次のように言う。「一言にして云えば現代日本の開花は皮相上滑りの開化であるという事に帰着するのであります。無論一から十まで何から何までとは言えない、複雑な問題に対するそう過激の言葉は慎まなければ悪いが我々は開化の一部分、或いは大部分はいくら自惚れて見ても上滑りと評するより致し方がない、併しそれが悪いからお止しなさいと云うのではない、事実やむを得ない、涙を呑んで上滑りに滑って行かなければならないと云うのです」(全集一六巻)。

文明開化にたいする漱石のこの態度、観点は、当時の日本における欧米文明受容の実相を的確に深いところから捉えた明察だったといえよう。やめるわけにはいかないが、なんとも危なっかしい、表面的な虚飾に満ちた大勢として、漱石は急転する開化を受け容れつつも苦悩し、冷静で冷ややかな態度をとる。それは当時として時代を超えた鋭い卓見であった。欧化という時代の趨勢にたいする漱石のこのような洞察は、同時に、そうするしかない自分たちの宿命に対するいら立ちや懐疑、悲観、さらに諦めにもつながっている。そこからくる独特な批判眼、諧謔、ユーモアと人間観察は、漱石の作品が今日まで生命力を持つ大きな要因になっている、と私は思う。

「われわれの開化が機械的に変化を余儀なくされるためにただ上皮を滑って行き、また滑るまいと思って踏張るために神経衰弱になるとすれば、どうも日本人は気の毒と言わんか憐れと言わんか、誠に言語道断の窮状に陥ったものであります」（同上）これがイギリス留学をも通じて、漱石が到達した日本の開化、文明化に対するシリアスな見方であった。

しかも『吾輩は猫である』のなかで、成金の鈴木夫妻にたいする苦沙彌先生の痛罵が端的にしめすように、金がすべての世界、すなわち資本主義そのものにヨーロッパ文明の行き詰まりを漱石は直感していた。まして、一九一一年の大逆事件にもみるように、日清、日露戦争での勝利を経て明治国家が歩む道は、個人の自由も人間そのものをも根底から圧殺しかねない。そして、新しい社会勢力である労働者階級を中心とする社会変革の運動は、まだ黎明期にすぎない。

そんななかで、漱石が『行人』で主人公の兄で孤高の秀才・一郎に語らせているように、この時代にまともにたちむかう人間にとって「死ぬか、気が違うか、それでなければ宗教に入るか。僕の前途にはこの三つのものしかない」という状況が、真面目に生きる当時の知識人につきつけられた現実であった。それはけっして例外的なことではなかったのである。漱石は留学中の日記に次のようにも書いている。「日本は三十年まえに覚めたりといふ。然れども半鐘の声で急に飛び起きたるなり。その覚めたるは本当の覚めたるにあらず。狼狽しつつあるなり。ただ西洋から呼吸するに急にて消化するに暇なきなり。文学も商業も政治も皆然らん。日本は真に目が醒めねばだめだ」(一九〇一年三月一六日)

日本の欧化、開化にたいするこのような認識は、英文学を専攻する漱石にはのっぴきならない精神的苦悶に直結した。日本の伝統文化のなかで育った若い漱石は、二松学舎で漢籍を学んだ後に、どういう経過からかは定かでないが当時の欧米文明の象徴的な代表、英文学の研究をみずからに課した。そこでただちに直面したのは尋常ならざる違和感であった。俳諧やわび、さびの世界と英文学は多くの点で相いれないのである。「西洋人は感情を支配する事を知らぬ。日本人は之を知る。西洋人は自慢する事を憚らない。日本人は謙遜する」(一九〇一年の「断片」)といった具合であった。

漱石は、なぜ自分が英文学を学ぶのか、学ぶに値するのか、英文学とは何か、そもそも自分は何者かと問い、悩み抜く。漱石は晩年学習院の学生を相手におこなった講演「私の個人主義」(一九一四年)で、自分の若いころを振り返って率直に述懐している。「とにかく三年勉強して遂に文学は解らずじまいだったのです。私の煩悶は第一此所に根ざしていたと申し上げても差支えないでしょう」そんな状態で教師になり、松山、熊本に赴任する。「私はこの世に生まれた以上何かをしなければならならん、といって何をしたら好いか見当が付かない。私は丁度霧の中に閉じこめられた孤独の人間のように立ち竦んでしまったのです。私はこうして不安を抱いたまま松山から熊本に引っ越し、そしてイギリスに留学する。しかしどんなに本を読んでも依然として自分は嚢の中から出るわけに参りません。——私は下宿の一間の中で考えました。詰まらないと思いました。いくら書物を読んでも腹の足しにならないのだと諦めました。同時に何のために書物を読むのか自分でもその意味が解らなくなってきました」

そこで漱石は、文学書だけを読んでもだめだとさとり、哲学、歴史学、心理学など広範囲な学問を学んで、そこから文学を考え直そうとも努力する。そしてついに重度のノイローゼ、うつ状態に陥る。心配した友人に勧められてロンドン市内の公園で自転車を漕ぐみずからの姿を描いた作品も残している。それほど、漱石にとって英文学とは何かは理解しがたかったのである。イギリス留学中に「夏目、狂へり」と噂されるにいたったのも、この根源的な問いと悩みからであった。何百年ものあいだ異なる歴史的地理的あるいは政治的環境の中ではぐくまれた感性や美意識を基礎にした文学や芸術を、国を超えてたがいにそう簡単に理解しあえるものでないのは当然である。それは、漢詩や俳句、謡曲の世界で育った漱石にとって、偽らざる心情であったろう。漱石は自嘲を込めてこんな回想もしている。「そのころ西洋人の言う事だといえば、何でも蚊でも盲従して威張ったものです。だからむやみに片仮名を並べて人に吹聴して得意がった男が比々皆是なりといいたい位ごろごろしていました。他の悪口ではありません。こういう私が現にそれだったのです」と。同じ講演では、「坊ちゃん」に登場する帝大卒のハイカラで軽薄なインテリの「赤シャツ」が自分の分身であることも告白している。こうして悩みに悩んだ末、漱石は一つの悟りを開く。それが、これからとりあげるいわゆる「自己本位」、「私の個人主義」という立場である。

ii

イギリス留学をつうじて、悩み抜いた末に漱石は一つの結論に到達する。それを漱石自身、「自己本位」の立場と名付づける。英文学、否、欧米文化、文明に対してこれを無批判に受け入れるのでも、ただ模倣して受け売りするのでもなく、あるいは分からないからといってただ悩むのでもなく、自主的な立場で、「自己本位」の立場でたちむかうことこそ重要なのだ、という悟りである。そのことは、欧米文化に背をむけることではない。吸収するものは吸収する。しかし、受け入れがたいものは率直に批判する、そういう自主的な立場である。

講演「私の個人主義」はいう。「この時私は始めて文学とはどんなものであるか、その概念を根本的に自力で作り上げるより外に、私を救う途はないのだと悟ったのです。今まで全く他人本位で、根のない萍のように、そこいらをでたらめに漂っていたから、駄目であったという事に漸く気が付いたのです。私のここに他人本位というのは、自分の酒を人に飲んでもらって、後からその品評を聴いて、それを理が非でもそうだとしてしまういわゆる人真似を指すのです」「たとえば、西洋人がこれは立派な詩だとか、口調が大変好いとかいっても、それはその西洋人の見る所で、私の参考にはならん事はないにしても、私にそう思えなければ、到底受売すべきはずのものではないのです。私が独立した一個の日本人であって、決して英国人の奴婢ではない以上はこれ位の見識は国民の一員として具えていなければならない上に、世界に共通の正直という特技を重んずる点から見ても、私は私の意見を曲げてはならないのです」これが漱石の到達した「自己本位」の立場であり、「私の個人主義」であった。今から考えれば、きわめて当たり前のことであるが、欧米を崇高な模範としてそこに接近することに無条件の義務感を抱いていた明治人のひとりであった漱石にとって、これは文字通り「目からうろこ」であった。ここにいたって漱石はいわば「つき」がとれたのである。

漱石は言う。「私は此の自己本位といふ言葉を自分の手に握ってから大変強くなりました」「自白すれば私は其四文字から新たに出立したのであります」「其時私の不安は全く消えました。私は軽快な心をもって陰鬱な倫敦を眺めたのです」（「私の個人主義」）と。

この立場は当然ながら、欧米に対して卑屈になることなく自国の伝統や文化、芸術を誇り肯定する立場でもある。漱石はこういう境地にいたったとき、「強くなり」「不安はまったく消え」た。留学から帰った漱石が、みずからの江戸っ子かたぎや落語調に自信をもって、『吾輩は猫である』や『坊っちゃん』を一気に書きあげていったのも、この立場、境地に立ってはじめて可能になったといえよう。漱石の作品には、日本人が親しんできた伝統的な文化、芸術、あるいは思考様式、語り口への愛着がいたるところに見られる。同時に西洋文明、文化についての広い知識も駆使されている。ここに、漱石の作品が百年をへてなお日本人に愛され、漱石が国民的作家と親しまれる最大のゆえんがあるのではなかろうか。

なお、漱石の立場が、当時よく口にされた「和魂洋才」とは異なることにも注意を促しておく。「和魂洋才」は、科学や技術については西洋を受け入れるが、こころ、精神は西欧を受け入れず日本古来の独自のものをという考え方である。漱石は、哲学や文学、芸術にいたる精神文化、こころの問題でも、西洋の良いところは積極的に受け入れる、逆に日本古来のものでもすべてを肯定するというのではなく、捨てるものは捨てるという立場である。そのことは、「文芸と道徳」（一九一一年）で、維新以来の欧米思想・文化の流入による日本人の倫理観の大きな変化、発展をふりかえり、文芸がこれに対応すべきだと説いているのを見ても明らかである。漱石の「自己本位」の立場とは、「和魂洋才」という精神的排外主義とは無縁であった。

iii

漱石の「自己本位」を今日私流に言い直せば、「自主独立の立場」ということになる。西洋文明の圧倒的影響のもとに、福澤諭吉が「脱亜入欧」を説き、庶民の間では舶来品が無条件に崇められた時代に、夏目漱石は苦しみぬいた末に「自主独立の立場」を確立して、それを最大の信条として明治の時代を生き抜いたのである。これは当時としては、傑出した見地であり、今日のわれわれからみて時代の貴重な先駆けといわなければならない。

というのは、時代も政治的社会的条件も大きく異なる漱石のこの立場は、今日を生きる私たちにとっても大事な立ち位置を示していると、私には思えるからである。早い話、グローバリゼーションが飛躍的に発展した今日の世界に生きる私たちにとって、国際的に生じるさまざまな問題や見解に対して、それに振り回されるのではなく自主的な態度をとることの重要性は説明を要しない。社会進歩を目ざす私たちの運動において、そのことは特別に重要な意味を持つ。戦後まもなく社会的な運動に参画して今日までがんばってきたわたしにとって、その思いは格別である。

戦後間もなく青年時代の私たちの目には、資本主義を乗り越えて社会主義建設にまい進するソ連、半植民地的状況から脱して新しい時代を切り開きつつある中国の姿は、希望に満ち、その活躍は私たちにとって、憧れと尊敬の対象であり、模範であり、目標であった。これらの国々を中心に、世界は資本主義を脱して、働く人々が主人公の新しい希望に満ちた未来にむかって大道を切り開きつつあると、信じて疑わなかった。ソ連が人類初の人工衛星を打ち上げ、解放された中国人民が、大躍進・人民公社と社会主義社会の建設にまっしぐらに突き進んでいるという報道は、私たちの心を躍らせ、夢をかきたて、われわれも遅れてならじの思いを膨らませた。今から考えると信じがたいことではあるが、当時の進歩的学生にとってこれが現実だったのである。哲学を勉強しようとすればソ連の『哲学教程』、経済学なら『経済学教科書』、そして毛沢東の『矛盾論』『実践論』という時代であった。一九六〇年代のはじめ、大学院の共産党支部に属していたわたしたちが発行した支部機関誌のタイトルが「東風」(ソ連、中国など東の風が西風・欧米を圧するという意味)だったことを思い起こせば、当時の左翼学生を支配した政治的思想的風潮がどのようなものであったかは想像できるであろう。

そのソ連が、スターリン体制の下で、社会主義とは絶対相容れない犯罪的抑圧社会をつくりだし、国民の生命、自由と人権を奪い、他国の主権を侵害してはばからなかったこと、中国の大躍進・人民公社は無残な大失敗に終わり、その後始末をめぐる政争から文化大革命というとんでもない内乱までひきおこされる。こんなことになるとは夢にも思わなかったのである。青年時代にわれわれが描いた世界史の発展の展望が、極端な単純化と幻想にすぎなかったことがあきらかになったとき、多くの青年が失意と失望に襲われたのは不思議ではなかった。それどころか、これらの国や政権党から不当な干渉を受け、われわれは日本共産党員として、党の存亡をかけてこれとたたかわねばならなかったのである。このときそのたたかいを根底からささえてくれたのが「自主独立」の立場であった。

日本共産党は、一九五〇年代から六〇年代にかけて、ソ連や中国の干渉による党の分裂などの困難をのりこえて、苦しみぬいた末に、日本の進むべき道を自らの判断と責任で明らかにするとともに「自主独立」の立場を確立した。いらいこの立場で「強くなり」「不安なく」この半世紀余をたたかいぬいてきたのである。

ソ連や中国の動向、それらの国と党の指導者らの言動にいささかも左右されることなく、ましてそれらの国や党の干渉をきっぱりとはねのけて、みずからの道を確信をもって進む、そういう根本的立場を日本共産党が確立したからこそ、いかなる場合にもいささかもぶれることなく、わが道を堅持して歩み続けることができた。この党の一員として私はいま、漱石の「自己本位」に限りない共感を抱き、大先輩にたいして心からの敬意を表明するものである。（『文芸多摩』一四号、二〇二二年）

四

読書ノートから

明治・世界に羽ばたいた女性たち

一、青山光子（一八七四年〜一九四一年）

リヒャルト・クーデンホーフ・カレルギーといえば、「ヨーロッパ合衆国」を提唱して〝EUの父〟ともいわれる人物である。この人の父は初代駐日オーストリア大使で母は日本人の青山光子である。二人の結婚は日本における最初の国際結婚といえるのではないか。青山光子について興味をもって調べていたら、なんと今から三〇年近く前に松本清張がこの人物について徹底的に調べてドキュメンタリータッチの作品を書いていたことを知った。『暗い血の旋舞』（文藝春秋、松本清張全集六四巻、一九九六年）である。これまで目にとめることがなかったのは、文庫本に入っていなかったからである。初版は一九八七年に日本放送出版会から刊行されている。清張は、リヒャルトの『回想録』『美の国』（鹿島研究所出版会）や木村毅の『クーデンホーフ光子伝』（鹿島出版会）などにあたるにとどまらず、光子が嫁いでその後生涯を過ごした夫リヒャルトの母国、オーストリアにまで足を運んで、クーデンホーフ家はもとより、同家とつながりのあるセルビヤで暗殺されたハプスブルク家の皇太子の妻の実家であるホテック家などについて徹底的に調べ上げて、この本を書いている。小説の形をとっているが、実質的には光子とリヒャルトについての詳しい調査報告書といってよいだろう。

小説は、青山光子を主人公にした小説を書く意図をもってウィーンに赴いた杉田省吾という作家が、光子の墓所を訪れるところから始まる。光子は一八七四年に東京の青山で骨董商を営む裕福な商人の家に生まれ（渋谷区青山の地名はこの青山家に由来するという）、一八九二年、一九歳で同家をよく訪れていた駐日大使だったハインリヒ・クーデンホーフ・カレルギー伯爵に求婚され結婚する。東京でふたりの息子（次男がリヒャルト）をもうけて、九六年に夫とともにオーストリアに渡る。そこで七人のこどもを育て、一九〇六年に夫が病没したあとは、チェコ、ハンガリーにまたがる広大な領地の経営、管理をふくめてカレルギー家の家業を女手ひとつでこなし、一九四一年まで生き抜く。

小学校もろくに出ていない少女が、言葉も文化もまったく異なるオーストリアの、それも貴族社会に突然入り込んで、どうやってその社会に溶け込み、オーストリアきっての知識人の一人でもある夫とのあいだで家庭生活を築き上げていったのか、清張ならずとも興味は尽きない。

たとえば、彼女は明治の初め、和服で履きものといえば下駄か草履しか着用したことがなかった。それがウィーンの社交界ではコルセットを締めてヒールをはかなければならない。このヒールほど嫌なものはなかったというのが、彼女の率直な心情である。リヒャルトの『回想録』では、母はウィーンの「社交界で花形」だったと記されている。清張ははたしてそうか、と疑う。明治の時代、日清、日露戦争での日本の勝利によってヨーロッパでも日本の地位や知名度は多少高まったであろうが、極東のどこにあるかも普通の人にはわからない異国からきた日本女性を、当時ヨーロッパの政治的中心の地位を占めていた大国オーストリアの首都ウィーンの社交界が快く受け入れただろうか？　偏見や差別、好奇の目を避けられなかったのではないか？　そんな疑問から清張のウィーンでの調査は開始される。

第一次世界大戦まえのハンガリー・オーストリア帝国は、ハンガリー、チェコ、ポーランドなどを含む多民族の大帝国で、複雑な民族相互の対立や差別、独立運動などが入り乱れていた。クーデンホーフ家はドイツ系であるが、領地はチェコ人の住む地域にあり、領地経営では、チェコ人のきびしい民族感情と向き合わなければならない。そのことひとつでも、とくに夫の死後、光子が直面する困難は並大抵ではなかったはずだ。それにいくら努力はしても言語も文化もちがうアジアの女性である。社会的な偏見や差別は親族の中でさえ、無縁ではなかったであろう。そんななかで光子は、夫が残した領地の経営から社交界の交際など名門貴族としての務めをこなし、終生日本人であることに誇りを失わず、格別に意思の強い女として生きぬいていく。並大抵のことではなかったはずである。明治の初めに、日本人女性がたった一人ヨーロッパの中心地で立派に生涯をまっとうしたことに驚くとともに、限りない敬服の念を抱かないわけにいかない。

こんなエピソードも紹介されている。成長したリヒャルトが、当時ウィーンで名の売れた女優に恋をする。名門貴族の未亡人を自負する光子は、身分の低い女との息子の結婚に断固反対し、リヒャルトを勘当している。リヒャルトが国際政治学者として「汎ヨーロッパ」を唱えて有名になってから和解はしたが、そうしたエリート意識、特権階級意識も、異文化の中で光子が生き抜くうえで、一つのささえとなっていたのだと推測しないわけにいかない。

清張の作品は、主人公の杉田がたんなる話のひき回し役で人間として形象化されていないなど、小説としては出来のいい作とは言えないかもしれない。しかし、明治のはじめに国際的に活躍した日本人女性に正面から光を当てた着想と執念を感じさせる丹念な取材で、松本清張の面目躍如といってよい。

二、稲垣鉞子（一八七三年〜一九五〇年）

近年読んだ本のなかでとりわけ感動した作品のひとつに内田義雄著『鉞子―世界を魅了した「武士の娘」の生涯』（講談社、二〇一三年三月）がある。戊辰戦争で敗れた越後・旧長岡藩の筆頭家老の娘、杉本鉞子《えつこ》の評伝である。

鉞子の父、稲垣平助は、明治維新のさいに朝廷への恭順を説いて佐幕派の藩主らと対立、失脚するが、戊辰戦争では朝敵の最高幹部として逮捕、断罪される。家族は家屋敷を焼き払って逃げ、農家を隠れ家に転々とする。鉞子が生まれたのは、平助と家族がかろうじて処刑をまぬかれた維新後の明治六年（一八七三年）である。藩の復活に奔走したにもかかわらず平助は、藩内では裏切り者あつかいにされて、失意のうちに生涯を終える。しかし、鉞子等は誇り高い武士の娘として、厳しいしつけのもとで育てられる。女性はあくまで父や夫にしたがい、どんな苦難に直面してもけっして顔に出さず、感情を抑制してつつましく暮らす、という掟のもとでではあるが。

鉞子は、戸主となった兄の命で、兄の友人でアメリカに渡って事業を営む杉本松雄のもとへ嫁ぐことになる。一四歳の時である。そこでまず英語を身に着けるために上京して、発足したばかりのミッションスクールに学び、青山学院の前身、東洋英和を卒業して、奨学金受給で義務付けられた小学校教員を五年務めたうえ、単身渡米し結婚する。幸いアメリカで親日家一家に出会い、その庇護のもとに、とまどい困惑しながらも、アメリカ社会にとけこみ、二人の娘を育て、社会的交友も広げ、やがて、コロンビア大学で日本語と日本文化について講座をまかされるにいたる。一九一六年、夫が急死して、生活にも困る中で、ある新進ジャーナリストのたっての勧めもあって英語で書いたのが『武士の娘』である。発売とともに全米のベスト・セラーになった。

一九二五年のことだが、同年のアメリカのベストセラーは、ヘミングウエイの『日はまた昇る』、フィッツジェラルド『グレイトギャッピー』だったというから、この作品が全米に与えた影響力は推し量れよう。鉞子の存在すら知らなかった私はいたく感動し、『武士の娘』そのものを読んでみたいと思うようになった。そしてたまたま、近くの有隣堂書店でこの本を見つけ、早速購入して読みきった。杉本鉞子著『武士の娘』は、大岩美代訳で一九九四年にちくま文庫から発行されている。

この書で鉞子は、武士の娘としての少女時代から、ミッションスクールでのカルチュア・ショック、アメリカにわたってからの日米の文化、生活、習慣の違いと、にもかかわらず人種、民族の違いを越えた心の交流を、ごく日常的な身辺の営みとその中での率直な驚きや戸惑い、感想などを交えて、淡々と描いている。

人前では表情もあらわにせず、自己主張もしないのが美徳として育てられた武士の娘が、あけっぴろげで社交的なアメリカ女性に驚き、戸惑い、時に軽蔑をも感じながら、いつしかそうした女性ののびやかなありかたに、共感していくさまなどが、興味深い。日本という異文化の国でサムライの娘がどのようなしつけや教育をうけ、どんな価値観や習慣、信念をもつ人間として生きて来たかを語って、多くのアメリカ人の目を見張らせたのである。

鉞子は夫の死後、娘たちを日本で教育するために帰国、英語しか話せない二人の娘を日本の学校で日本人として育てる。その並々ならぬ苦労と、そのなかで極端に低い女性の地位と無権利などに直面して〝これでよいのか〟と煩悶するのも、なるほどとうなずける。そして、娘たちをやはりアメリカで教育したいとの断ちがたい思いから、再び渡米を決意し、決行するところで本書は終わっている。鉞子は渡米前に、娘をともなって故郷の長岡を訪れ、一変した郷里に失望しながらも、姉の嫁ぎ先の旧家に保管されていた少女時代に親しんだ食器や家具、日用品などと再会し、渡米をひかえる娘たちにそれらについて説明して語りながら、思い出に浸る。

夫の死後鉞子は、二人の子どもをかかえて経済的にも苦しい生活を強いられる。やがて第二次世界大戦が勃発する。そのとき鉞子は、たまたま帰国して日本に滞在していたが、その周辺には、常時、スパイ容疑で付きまとう特高の影があった。あたかも敵国人のように扱われたのである。しかし、日本の敗戦、米軍の占領下で、鉞子はアメリカ在住当時の同国人と再び旧交をあたためることになる。占領軍将校のなかには、かつて『武士の娘』を読んだことのある人もすくなくなかった。彼らは、鉞子の所在を確かめ、たずねてきた。再びアメリカの友人、知人たちと再会し、交友を復活させ、穏やかな老後を送る。戦争という不幸な時期を挟んではいたが、鉞子の生涯は、なにものにも換えがたい心の交流をつうじて日米の相互理解の架け橋となった。

戊辰戦争で敗れた父は、市民として不遇な半生を送った。にもかかわらずその生涯は、日本古来の武士の精神に貫かれ、その精神は鉄子のなかに生き続けた。そのなにものにも慮ることなく、まっとうな筋をとおす生きざまは、今日においても称賛に値するといえよう。明治時代に越後の武士の娘として育った女性のなかに、このような生涯を送った人がいたことに、深い感慨を禁じ得ない。それにしてもこの齢になるまで、自分の郷里にこのような女性が存在したことを知る機会ももたずにきたことを、いまさらながら恥じ入る次第である。

三、津田うめ（一八六四年〜一九二九年）、永井繁（一八六一年〜一九二八年）、山川捨松（一八六〇年〜一九一九年）

NHKテレビでたまたま大山巌夫人となった山川捨松の生涯を紹介する番組を見る機会があった。明治三年（一八七一年）、一〇歳のとき津田うめ（六歳）、永井繁（九歳）らとともに岩倉具視を団長とする欧米視察団に同行し、一〇年余アメリカで生活し、教育を受けて日本に帰国し、鹿鳴館の女王とも呼ばれた女性である。軍人で日露戦争では日本軍の司令官として活躍し伯爵にまでなった大山とは二〇歳以上も離れていたが、終生お互いにファーストネームで呼び合っていたという。大変興味深かったので、ネットで調べているとジャニス・P・ニムラ『少女たちの明治維新——ふたつの文化を生きた三〇年』（志村昌子、藪本多恵子訳、原書房、二〇一六年）に出会った。さっそく図書館から借りだして読んでみた。

アメリカ人女性である著者は、日本人と結婚して東京にも住んだことのある東アジア史の研究家である。うめや捨松のアメリカ時代からの親友で来日して教鞭もとったことのあるアリス・ベーコンが書いた日本滞在記を地下の古本の中から発見して読んだことから、この少女らに強い関心をもって丹念に取材し、本書を書いたという。明治の初めにアメリカに渡った幼い少女たちが、自分たちの育った日本とはまったくちがった文化と社会のなかで、とまどいながらも、温かく見守り導く人々に恵まれ、生きいきと育っていくようすが、愛情のこもったこまやかな筆づかいで見事に描きだされている。

総勢一〇〇人を超す大規模な岩倉視察団が派遣されたのは、維新政府が欧米との不平等条約を解消する前提として日本の欧化・近代化をおしすすめるためである。捨松、うめ、繁、りょう、ていの五人の少女が、一〇年間を予定してアメリカで教育を受ける任務をもって視察団に加わったのは、帰国後日本の女子教育を担ってもらう意図からだったようだ（五人のうち、りょうとていは、一年後に帰国している）。しかし、帰国したときは日本国内では欧化に批判的な風潮が広がっていて、彼女らを受け入れる政治状況ではなくなっていた。そのこともあって、アメリカで成長して教育も受けて帰ってきた少女たちは、まったくなじめない日本に戸惑い、苦悩しながら、初志をつらぬくために努力することになる。

一番年下のうめは、独身でとおし、華族女学校や東京女子高等師範学校（現在のお茶の水女子大）で教鞭をとるが、それに満足せず、独自に女子教育のための私塾（のちの津田塾）を開設し、大山夫人となった捨松も、貴族社会で活躍しながらこれに協力する。繁は、音楽を専攻し、帰国後すぐ結婚、東京女子高等師範の教師になって、七人の子どもを育てながら日本での音楽教育の発展に生涯をささげる。感銘を受けたのは、この三人がアメリカ在住時代にも姉妹のように育っているのだが、帰国後もそれぞれ境遇を異にしながら終生親しく交わり助け合っていることである。その情景を、おなじ女性である著者は親しみを込めて描きあげている。

アメリカで彼女たちを家族として世話をしいつくしんできた牧師のベーコン一家の人々や駐米日本公使代理だった森有礼の秘書を務めていたランマン氏夫妻、そして高校、大学の友人たちとの生涯にわたる密接な交流も、本書の充実した内容にひときわ魅力を添えている。とくにベーコン一家の末娘であったアリス・ベーコンは、捨松の最も近しい姉として、またうめの親友として、得難い役割を果たしている。うめらの懇請で二度にわたって来日して日本で英語を教えたのも、うめが私塾を開くにあたってアメリカで資金の調達に奔走してくれたのも、アリスである。捨松、うめらは日本で女性の低い地位や境遇に苦しみ困難に突き当たるたびに、英文でアメリカの母や友人に手紙を書き、慰め励まされている。なにしろ、うめは帰国したときには、日本語を話すことも読むこともまったく出来なかったのである。少女時代をアメリカで過ごした彼女たちにとって、アメリカこそ心の故郷であったともいえよう。

ここでとりあげた女性たちは、それぞれ明治国家にたいする立ち位置の違いはあれ社会的には恵まれた階層に属する家庭に所属し、絶対主義的天皇制国家の形成に結果的には一翼を担う立場に立っていた人たちである。しかし、日本の近代化、とりわけ女性の地位向上をおしすすめるうえで、この人たちによる今からは想像もできない困難をともなった努力とたたかいの果たした役割を、私たちは政治的立場の違いを越えて忘れてはならないと思う。

なお、本書に続いて橋木俊詔著『津田梅子』（平凡社新書、二〇二二年一月）を読んだ。こちらは、日本における女子教育の発展という見地から津田の生涯に焦点をあてた労作で、山川、永井にも目を配っていて大変勉強になった。たとえば、女性が結婚して家庭に入るのが当然とされた当時の日本で、独身をつらぬき女子教育に生涯をささげる決意をかためたうめは、その任をまっとうするにはより高次の学問を身に着けなければと考え、二五歳のとき、再度今回は単身でアメリカに渡り、大学に入って学び直している。本書で初めてその事実を知り、うめの並々ならぬ使命感と実行力に改めて頭が下がる思いである。

四、河井道（一八七七年〜一九五三年）

徳川最後の将軍家定の御台所、天璋院篤姫が名づけの親という一色乕児（五四歳）が女教師の渡辺ゆり（三八歳）にプロポーズする。ゆりは、ある女性とのシスターフッドの関係継続を認めるという条件で応諾する。結婚しても、先輩であり親友でもあるその女性との同居を続けるというのである。女子英学塾時代の恩師であり親友でもある河井道（一八七七年〜一九五三年）である。柚木麻子『らんたん』（小学館、二〇二一年一一月）は、一見奇妙なこんな書き出しで始まる。小説という形はとるが、恵泉女学園の創設者、河井道と生涯にわたってその盟友、サポート役をつとめた一色ゆりの史実にもとづく心温まる感動的な物語である。

河井道の父は、伊勢神宮の神官だったが明治維新で失職し北海道に渡って開拓農民となる。そんな環境で育った道は、来日した宣教師や親しかった新渡戸稲造などの感化のもと、上京して女子英学塾の津田うめに勧められて津田が学んだアメリカのプリンマー大学に留学する。そこで、アメリカの女性たちの自由でのびのびした生きざまに触れて、目の覚める思いで帰国、英語教師として津田の塾で津田を支える。当時の女性にとってきびしい社会的規範やしきたりを受け入れたうえで女子教育に死力を尽くす津田を尊敬しつつも、しだいにもっと自由でのびやかな女子教育をと考えるようになる。

この道にあこがれそのもとに集まる生徒たちの一人であったゆりは、ある日、英学塾の寮をとびだして、河井の家にころがりこみ、いらい同居して、河井と行動をともにし、終生その支えとなって活躍する。道はゆりにアメリカの大学への留学をすすめる。道の希望でゆりは、男女共学のアーラム大学に学ぶ。そこでは、男女が同等に学び論をかわし、ダンスパーティーでは手を組んで踊りもする。日本では、想像することもできない自由なのびやかな青春である。そうした体験を胸に帰国したゆりは、新しい学校をという道の夢に、強く共感し期待もする。そして、一色乕児との結婚後は、河井が一色家に同居する形で、いわゆるシスターフッドを継続する。

一九二九年、道五一歳で、東京神楽坂の一角にある民家を校舎に恵泉女学園がスタートした。クリスマスをはじめとするキリスト教の祭事には、生徒と教師が共同で準備し、たのしく自由で伸びやかな行事を催すことが伝統となる。教師の中には彫刻家の本郷新もいた。自由で楽しい雰囲気に満ちた学園はクリスチャンだけでなく各方面から歓迎され、やがて小田急線沿線の経堂に新しい校舎をかまえるようになり、園芸場をふくむ学園の敷地もひろがっていく。

しかし、時局は日本の中国侵略拡大、アジア、太平洋へ侵攻、対米英戦争へと急転していく。国民総動員令が出され、〝欲しがりません勝つまでは〟〝鬼畜米英〟のスローガンのもとに、軍国主義一色の専制支配が教育界をも席巻する。自由と平和をかかげるキリスト教系の私学が相次いで閉校においこまれるなか、恵泉学園は天皇制と軍部による統制、自由と平和の理念と相容れない戦争への協力を建前として受け容れながら、建学の理念と自由の精神を校内に保持し続けるためにぎりぎりの努力を続ける。軍事教練を遠足まがいの遠出でしのいだり、学徒動員先を経営者がクリスチャンの洗濯会社白洋舎に求めて、軍需産業への協力を避けるなどである。

一九四五年八月、日本の敗戦、米軍の占領によって事態は一変する。米占領軍司令官マッカーサーの補佐官には、ゆりと道のアメリカでの親しい友人、ボナ・フェラーズ准将がいた。その宿舎やGHG本部に招かれた道とゆりは、素晴らしいごちそうにあずかるばかりか、天皇制の存続について意見を求められたりする。道は政府の教育刷新委員会の委員に任命され、教育基本法の立案など戦後民主教育の出発に大きな貢献をする。ゆり一家は、一人娘の義子（のちに恵泉女子大学の理事長）のアメリカ留学にともない一家あげて渡米するが、道の健康悪化の報で帰国、その最期をみとる。

恵泉女学園（大学は二〇二三年度で閉学）の出身である作者には河井道の建学の精神がしっかりと受け継がれているのであろう。全編を通じて、明るく、伸びやかで、登場する女性たちが生き生きとしているのがこの作品の最大の特徴である。もう一つは、津田うめ、山川捨松、平塚らいてふ、市川房江、神近市子、伊藤野枝、山川菊枝、村岡花子、柳原百蓮、加藤シヅエといった、近代日本女性史を語る上で欠かせない人たちが、道やゆりとさまざまな接点をもって登場し、立場や政治的見解の違いを越えて温かい目線で描き出されている事である。さらに、山川捨松をモデルにしたと言われる『ホトトギス』の作者、徳富蘆花、『ある女』の作者で波多野秋子と心中した有島武雄と道との批判的交流も、この作品に深みをもたらしている。

『不如帰』『ある女』はいずれも女性の死でおわる。なぜ女性は死ななければならないのか、道の疑問と抗議は、男性中心社会への痛烈な糾弾である。

五、石阪美那子（一八六五年～一九四二年）――結びに代えて

最後に、筆者が住んでいる東京都町田市出身の石阪美那子を紹介しよう。日本の近代文学の草分けの一人で早逝した北村透谷の妻として話題にのぼることはあるが、それ以外に一般にはあまり知られていない女性である。しかし、透谷が二五歳で自殺した後、三〇歳をすぎてから幼い一人娘を義父母に託してアメリカに単身留学、七年間滞在して、神学、文学、音楽を学んで、一九〇七年、四二歳で帰国。日本での女子教育のための学校開設という夢こそ実現しなかったが、自宅で英語塾を開くとともに、豊島師範学校で唯一の女性教師をつとめ、のちに品川高等女学校に移り、都合約四〇年に渡って教育者として務めあげている。やはり、並みの女性ではない。江刺昭子著『透谷の妻――石阪美那子の生涯』（小学館、一九九五年）は、この女性の波乱に富んだ生涯を克明な取材によってたんねんに追跡した好著である。

美那子は、明治維新三年前の一八六五年、現在の町田市野津田に生まれる。家はこの一帯きっての豪農であり、父石阪昌孝は、開明的な人物で当時の神奈川、多摩の自由民権運動の中心的指導者であった。神奈川県議、県会議長、群馬県知事、衆議院議員などを歴任した、この地方では傑出した有力者、著名人であった。教育にも熱心で、学制がひかれると率先して地元での小学校づくりにとりくみ、まだ女子はめずらしかった

のだが美那子と妹の登志子をできたばかりの小学校に入学させている。この父のもとで美那子は、小学校卒業後一一歳で、東京御徒町にあった当時数少ない女子のための漢学塾、日尾塾に入り、寄宿舎生活で和漢学を学ぶ。優秀な生徒で塾長に見込まれて養子にまでなるが、のちにこれを解消、一八八五年、英語を学ぶ目的で横浜の共立女学校に入学、ここで熱心なアメリカ人教師の影響でキリスト教に入信。そして、そのころ父の家に出入りしていた透谷と知り合う。二人の関係はやがて熱烈な恋愛へと発展する。その過程で透谷は美那子に感化されてクリスチャンになる。二人の愛は崇高だが、観念的でプラトニックな色彩がひときわ濃かった。周囲の反対をおし切って二人は八八年に結婚、美那子二三歳、透谷一九歳である。しかし、夫がしがない文士でろくに収入もないうえ、自由民権運動退潮の中での挫折という厳しい現実も重なり、二人の結婚生活はたちまち破綻をきたす。著者の江刺は書く。「現実から遊離した世界で、お互いを聖化し、理想の美酒に酔っている。それはやがて、結婚という現実のなかで、二人とも思い知らされることになる」(一二二)と。

このあたりの経緯については、さまざまな透谷論でかならず触れられるので深入りは不要。問題は美那子である。夫の自死という思いもよらなかった衝撃に加え、親の強い反対を押し切っての結婚ゆえ、いまさら実家を頼るわけにもいかず、かといって幼子をかかえて生きるすべもない。文字通り絶体絶命の窮地に立たされる。娘を義父母に託して女性宣教師に日本語を教えキリスト教の伝道も手伝う美那子は、やがて、アメリカ留学に活路を求めることになる。信頼し一緒に活動していた宣教師、ベンドローが帰国する機会に、誘われもしたのである。当時で五〇〇円という莫大な渡航費の大半を借金でまかない、滞在費や学費は現地調達で、インディアナ州にあるベンドローの郷里・メロームという田舎町に住み着き、そこにある男女共学のユニオン・クリスチャン・カレッジ（U・C・C）に五年間通う。さらに、隣のアイオワ州にあるデファイアンス・カレッジに進み、二年間、神学・音楽・文学を修める。

滞在中の苦労は並みたいていではなかった。時に食べるものにも事欠いたと美那子は回想している。しかし、夫を失い、三〇過ぎて単身留学した美那子の境遇が知れるにつれて、同情や激励が集まり、日露戦争での日本の勝利の反響もあって、講演のなどの依頼がつぎつぎに舞い込み、その謝礼が主な収入源になったという。現地にすっかり溶け込んだ美那子は、多くの友人たちにかこまれ、生きいきと大活躍、デファイアンス大の卒業にさいしては、成績優秀で金時計を贈られている。また大学のYWCAの代表として全国大会に派遣されたりもしている。

一九〇七年帰国した美那子は、同年に逝去した父をみとることは出来なかった。明治専制国家による良妻賢母の女子教育制度が確立していった当時、アメリカ帰りのキリスト教信者の彼女を受け入れる教育現場がなくなっており、彼女のたどった歩みは決してはなやかではなかった。しかし、教育者としての彼女の後半生は、それなりに充実したものであった。アメリカ仕込みでの生徒の自立と自主性を重んじる彼女の授業は、生徒にとってとても厳しいものであったという。太平洋戦争開戦翌年の一九四二年四月一〇日、七六歳の生涯を終えるが、「アメリカと戦争をするようなことをしてはいけない。アメリカという国を日本は知らなすぎる。これは負ける」との言葉を残している。江刺の著作にはたまたま出会ったのだが、美那子の生き様にも、改めて深い敬意を表さないわけにいかない。

以上みてきたように、日本が世界に窓を開いた明治という時代に海外に羽ばたいた女性たちが少なからず存在した。その事実に認識を新たにさせられるとともに、とりわけ海外に出た女性たちが実にのびのびと自由に生きいきとくらし、学び、多くの友人と巡り合い、終生その絆を大切に維持していることに大きな驚きを禁じ得なかった。同じ時代に、留学した男性の多くが、留学先の社会になじめず、屈折した心境のもとに、孤独な生活を送っていたのときわめて対照的である。イギリスに留学してロンドンの下宿に閉じこもり、鬱屈した生活を送って、「夏目狂へり」とのうわさが飛び交った漱石はその見本と言えよう。これにたいして、ここにとりあげた女性たちは、海外の滞在先に溶け込み、実に生き生きと、伸びやかに、闊達に生きているのである。

なぜだろうか？　そんな疑問から思いいたったのは、家父長制家族制度のもとで女性が無権利状態のまま家に縛り付けられていたこの時代に、女性にとって海外に出るということは家のしがらみからの脱出、文字通りの解放を意味したのだということである。自分を殺し、ひたすら家のため夫のために身を犠牲にする生き方から解き放たれ、自由を手にしたのが、海外、アメリカでの生活であった。そこでのびのびと意のままに生き、時代の制約はあったにせよ男女の平等な関係をも経験し、それらの体験を身に着けて日本に帰国し、それぞれの違いはあるにしろ、その体験をもとに日本の女性の地位向上とそのための教育に献身する、その点で多くが共通しているのである。

もちろん、ここでとり上げた女性たちは、社会的には恵まれた階層に属するいわば特権的な人々と言えるかも知れない。しかし、こうした女性たちによって、近代日本の女性の地位向上、そのための女子教育の発展の一端が担われてきたことは疑いえない。ジェンダー平等が声高く叫ばれる昨今、そうした歴史を顧みることに新たな意義を見出さずにはおかない。

『マルクス解体』（斎藤幸平著／講談社／2023年刊）を読む

環境問題に視点を据えてマルクスの理論と思想を前期と後期（晩年）にきっぱりと分けて、前期を切り捨てて、後期に今日的意義を認めるというのが本書『マルクス解体 プロメテウスの夢とその先』の最大の特徴である。「環境運動にとって、資本主義はもはや進歩的ではない。むしろ、社会の生産と再生産の一般的諸条件を破壊し、人間とその他の生命を深刻な脅威にさらしているのだ。資本主義が、歴史的進歩をもたらすというマルクスの考え方は、絶望的なほど時代遅れに見えるのである。それでも、マルクス主義の再生を望むなら、その際の必須条件は、いわゆる『史的唯物論』という『生産力』と生産関係の間の矛盾を進歩の動力とする悪名高い歴史観に依拠するマルクス像を解体することではないか、これこそ本書に込めた想いである。そのうえで、惑星規模の環境危機を前に人類の歴史を終わらせるような悲観主義や終末論に陥らずに、マルクス主義の観点から明るい未来を構想したい」（9）というわけである。本書のこのような問題提起をどう受け止めるべきか。

一、「脱成長」はともかく、おおむね納得できるマルクスの未来社会論

マルクスの思想と理論が、決して初めから完成したものではなく、マルクスの生涯をつうじて発展させられていったことは言うまでもない。たとえば、経済恐慌が革命をもたらすという若い時の考え方は、1857年恐慌などの体験をも踏まえて恐慌を資本主義の経済発展の1サイクルとみなす見解に変わっていき、それに伴って、革命論も発展させられる。少なくともイギリスやフランスなど発達した資本主義国では、労働者階級が議会で多数を獲得して自分たちの政権を樹立することによって革命へと進みうる、そのために労働者、国民の多数の支持を獲得し組織する地道な忍耐強い努力が求められるという立場がより明確にされていく。

マルクスが晩年、人間と自然との「物質代謝」が資本主義のもとで「亀裂」を深め、自然と人間にとりかえしのつかない破壊的被害をもたらすことへの認識を、生化学者のリービッヒらを学ぶなかで深めていったという著者の追跡もその通りであろう。

著者は晩年のマルクスの理論的到達点を「脱成長コミュニズム」なる概念で呼ぶ。前期の思想、立場から根本的な転換を遂げたマルクスが晩年、経済的成長をみとめない社会の到来を展望していたというのである。はたしてそうか？　結論から言えば、この規定を受け入れるわけにはいかないが、それについてはのちに検討しよう。しかし、そこでとなえられるマルクスの未来社会論は、意外にまっとうなものである。著者によ

れば、マルクスが到達した未来社会論の特徴は以下の5点に集約される（本書358〜366頁）。

1、社会的生産の主目標がもっぱら「剰余価値」の生産から「使用価値」の生産に変わる。すなわち、利潤追求のための生産から社会的必要を満たすための生産へと変わる（「脱成長」といいながら、社会が豊かになることを著者は否定しない）

2、労働時間の短縮による自由の飛躍的な増大

3、労働者の自立性が高まり、いわゆる「必然の国」の内実が変わっていく

4、市場競争の廃止による経済成長の減速

5、精神労働と肉体労働の対立の解消

資本主義を乗り越えた社会での経済的成長がどうなるかなどについては議論が分かれても、ここで挙げられている5点は、いずれもマルクスの未来社会論の特質を的確に表現している。ただし、これらは、マルクスの晩年に限った主張ではなく、そのときどきの重点の置き方や究明の度合いに違いはあれ、その基本的観点や論理はマルクスが生涯を通じて追求し発展させていったものである。

マルクスの未来社会論の根本は、資本主義のもとであらゆる社会的苦難や弊害の根源となっている生産手段の私的所有を社会的所有に切り替えることによって、驚異的に発展した生産力を基礎にすべての人々に豊かさと自由を保障する社会を実現することである。資本主義のもとでは、使用価値ではなく価値そのものが資本にとって唯一の目的となり、自然も人間も犠牲にして最大限の利潤が追求される。そこから解放された豊かで自由な社会の実現は、若い時から晩年に至るまでマルクスの一貫した目標である。その最大の眼目が人間の自由の実現であることも疑問の余地がない。マルクスは１８４８年、30歳のときに書いた『共産党宣

言』で、共産主義社会について「ブルジョア的社会に変わって、各人の自由な発展が、万人の自由な発展のための条件である連合体（アソツィアツィオーン）が現れる」とのべている。

環境問題が深刻化し人類史的な大問題になっているもとで、資本主義がもたらす人間と自然の「物質代謝の亀裂」というマルクスの観点が、問題の根幹に迫るうえで決定的に重要な意義をもつという著者の指摘や、資本主義のもとでは生産力を「資本の生産力」としてとらえる必要があり、「資本の生産力」を究極的に規定するのは労働過程の「資本への実質的包摂」であり、それによる労働者の抑圧、分断、奇形化、非人間化である。その基礎になるのが資本主義的「協業」、つまり構想、企画、指揮と極端に分業化された単純労働とへの労働の分離であるというとらえ方など、本書での著者の解明はマルクスの理論と思想に対する深い理解と的確な分析をしめすものといえよう。

「資本の生産力は、労働者を従属させ支配するために生み出されたもの、それを使って、自由で平等な社会に移行することは出来ない」（236）との指摘もうなずける。資本主義的協業のもとで、指揮・監督（精神労働）と労働（肉体労働）が分離され、資本が独占する指揮、監督のもとでそれに従って肉体を使って働くだけの機能しか果たさなくなった労働者が、そのままでは新しい社会を担う生産力の構成部分にならないのは明らかである。新しい社会にふさわしい生産力となるには、民主的で集団的に組織され運営される生産組織の本当の意味での主役となれるよう労働者自身が自己変革を遂げる必要がある。そのことは、1871年のパリ・コミューンの経験などをふまえてマルクスが強調していたことである。

もちろん、マルクスが晩年リービッヒらの研究に学び、資本主義的農業における自然破壊など「物質代謝の亀裂」について認識をさら深めていったことも事実であり、また、ドイツのマルクやロシアにおけるミールなど資本主義以前の社会から引き継がれ古くから生き延びた共同体やインドなどアジアにおける土地所有の形態について研究し、世界史的な視野を広げていったことも事実である。それらの論究をもふまえて、著者が語るマルクスの未来社会論は、おおむね納得できるものである。繰り返しになるが、それらはマルクスが晩年になって初めて唱えたものではなく、その生涯を通じて探求し追求してきた結晶である。

にもかかわらず、著者がマルクスの思想と理論をなにゆえに前期と後期に図式的、機械的に二分化し、前者がマルクス自身によって完全に放棄されたかのように断定するのか、疑問は膨らむばかりである。著者はいう。「マルクスは生産力主義とヨーロッパ中心主義を完全に放棄して初めて定常型経済原理を未来社会の基盤として完全に組み込むことができた」(本書316~17頁)。「MEGA研究によって新たに浮かび上がってくるのは、マルクスが1868年以降、自然科学、人文科学、社会科学の学際的研究を通じて、理論的な大転換――アルチュセール的な意味での『認識論的切断(althusser 2005)』を成し遂げたという事実だ。マルクスが最終的に獲得したポスト資本主義像は、『脱成長コミュニズム』と呼ぶべきものなのである。」(本書14~15頁)などなどと。(筆者注 MEGAはマルクス、エンゲルスの出版物、遺稿、草稿、書簡の全集)こうした断定が、環境問題への接近という積極的な問題意識から出発し、晩年のマルクスの研究を高く評価するという意図からなされていることは否定しない。しかしそれにしても、あまりにも強引でむりな裁断といわなければならない。

第1、マルクスが生涯をかけて追求したのは、剰余価値、利潤追求のためになりふりかまわず労働者に貧困と長時間労働をはじめとするあらゆる非人間的境遇を押し付けて恥じない資本主義の徹底的な批判であり、この利潤第1主義から労働階級を解放することであった。この点では、著者の言う前期も後期もないのである。また、マルクスが晩年、自然と人間との物質代謝の亀裂を重大な問題として追求したことは事実としても、だからと言って、資本主義を乗り越えるコミュニズムが資本主義のもとで発展した生産力を土台にしてこそ実現しうるというマルクスの信念は、その生涯を通じていささかも変わらず一貫していることも動かしがたい事実である。そのことは、資本主義のもとで最大限利潤のためにあらゆるものを犠牲にして追求される経済成長が、社会主義のもとでもそのままひきつがれ加速されるなどということをなんら意味しない。それどころか、自然と人間の物質代謝の亀裂を修復し、自然と人間の調和のある関係を自然の法則にのっとって発展させるというのが、彼の未来社会論の一貫したモチーフである。

第2に、著者が「『生産力主義』と『ヨーロッパ中心主義』」（本書256頁）として排撃し、マルクスが晩年には投げ捨てたとされる「悪名高い史的唯物論」についてである。ヘーゲルの観念論を批判して唯物論の立場に立つ世界観をとなえたのはフォイエルバッハだったが、彼はそれを社会と歴史の分野に押し広げることができなかった。そしてこれを成し遂げとげたのが若きマルクスであり、その歴史観が史的唯物論である。その原理を簡潔にまとめて提示したのが1859年に刊行された『経済学批判』の序言である。その根本命題は「物質的生活の生産様式が社会的、政治的および精神的生活過程一般を制約する。人間の意識が彼らの存在を規定するのではなく、彼らの社会的存在が彼らの意識を規定するのである」（全集13巻6頁）、「人間は、彼らの生活の社会的生産において、一定の、必然的な、彼らの意思から独立した諸関係に、すなわち、彼らの物質的生産諸力の一定の発展段階に対応する生産諸関係にはいる。これらの生産諸関係の総体は、社会の経済的構造を形成する。これが実在的土台であり、その上に一つの法律的および政治的、上部構造がそびえ立ち、そしてそれに一定の社会的意識が対応する」（同）という命題である。これらの見地は歴史と社会をとらえるうえでマルクスが終生よって立ってきた根本的な原理であって、一貫したものである。生産力と生産関係の弁証法は、これらの根本的な見地を大前提に、社会的存在、社会の土台をなす経済の仕組みと発展法則を研究してえられたものであって、史的唯物論の核心の一つをなしはするが、史的唯物論はこれに尽きるものではない。

なお、マルクスが「しかし、ブルジョア社会の胎内で発展しつつある生産諸力は、同時にこの敵対の解決ための物質的諸条件をもつくりだす。したがってこの社会構成でもって人間社会の前史は終わる」(同7頁)と書いていることにも注意を喚起しておきたい。すなわち、人間が階級対立のない社会、すなわち共産主義社会を実現したときにはじめて、人間本来の歴史が始まる、そこからが人間の本史だという壮大な展望である。これがマルクスの歴史観、史的唯物論である。

生産力と生産関係の弁証法についていえば、生産関係は究極的に生産力の発展段階に照応するというのが根本原理である。したがって、生産関係が生産力の発展に照応しなくなると、新しい生産関係を求めて革命の時代が始まる。古い生産関係、われわれの場合は資本主義の生産関係を打破し、発展した生産力にふさわしい生産関係をつくりだすことが歴史の課題となるのであって、それを実現するのは階級闘争である。資本主義を乗り超えた新しい社会が、自然と人間との調和を図りながらどのように生産を管理しその発展をはかるか、その将来の具体的な内容についてマルクスは立ち入っていない。しかし、そこにおいて自然と人間との質量転換は、「亀裂」ではなく、調和のとれた循環として、人間の理性の統御のもとにおこなわれるであろう。資本主義的生産関係の廃絶と新しい生産関係の樹立は、そのためにこそ必要だったのである。これをもって生産力主義と非難するのは、あまりにも一面的なためにする批判としかいいようがない。しかも、こういった批判がマルクスの思想と理論を現代に生かそうとする積極的な問題意識を持って、マルクスをまじめに研究する人の口から出てくることに、なんともいえぬ違和感を禁じ得ないのである。

第3に、前期のマルクスを「ヨーロッパ中心主義」とする非難についてである。マルクスは、もともと19世紀のヨーロッパ、ドイツに生まれ育って、当時ヨーロッパを中心に発達した資本主義を、とくにイギリスに焦点をあてて研究したのだから、その意味では、ヨーロッパ中心主義であるのは当然である。しかし、マルクスが、若い時代から、ヨーロッパ以外の国々に目を向け、あるいは資本主義以前の世界史にも広い視野で関心を向けていたことも事実である。ちなみに『資本論』そのものが、直接にはイギリス資本主義を研究の対象としながら、資本主義以前の社会とその歴史を視野に入れながら、注などにふんだんにそれらの事例を書き込みながら展開されていることは、本書の著者自身よく承知のことである。マルクスがヨーロッパとの対比において日本の中世を紹介しているのもその一例である。

もちろん、研究がすすむなかで、インドの歴史やアイルランド問題のとらえ方が発展していったこと、たとえばアイルランドの独立なしにはイギリスの労働者階級の解放はありえないとする見地に到達するなどのことは、本書でも紹介されているとおりである。晩年のマルクスが、モーガンの『古代社会』などに学ぶとともに、ゲルマン共同体やマルク共同体、ロシアのミールについて深く研究し、それらが資本主義とは異なる持続性や自然との調和を特質とすることや、私的所有以前の土地共有性のもつ意義などについての認識を深めていったことも事実である。だが、そのことは、西欧における資本主義の発展とその世界史的意義をいささかも見失わせるものではあり得ない。

本書の著者は、マルクスが書いたロシアのナロードニキ、ヴェ・イ・ザスーリチへの手紙（下書き）を引き合いにだして、晩年のマルクスが「『より高い』生産力を持つ西欧が、非西欧社会や前資本主義社会よりも本当に優れているのかどうかを疑うようになっていく」とか、「マルクスは、西欧社会はこれらの農耕共同体から物質代謝を組織する別の方法を学ぶ必要があると考えるようになった。まさにこうした態度の転換こそ、晩年のマルクスがそれ以前の西欧中心主義から完全に決別したことを示している」（本書307頁）とのべる。

しかし、これは、ヘーゲルによって定式化された弁証法のいわゆる「否定の否定」、すなわちものごとの発展途上で生じる「外見上古いものへの復帰」についての曲解でしかない。確かにマルクスは、ザスーリッチへの手紙の中で、ロシアの共同体が土地の共有や自然との調和といった点で資本主義の発達した西欧が学ばなければならないという意味のことを語ってはいる。しかし、それは将来実現される共産主義社会が、生産手段の共有や人間の平等といった点で、ある意味では原始共産制の高い次元での「復活」であるというのと同じ意味であって、そのことが前資本主義社会の共同体が資本主義より高次の社会だということをなんら意味しない。マルクスは『資本論』で述べている。「しかし、資本主義的生産は、一つの自然過程の必然性をもって、それ自身の否定を生み出す。それは否定の否定である。この否定は、私的所有を再建しはしないが、しかし、資本主義時代の成果を基礎とする個人的所有をつくりだす。すなわち、協業と土地の共有と労働そのものによって生産される生産手段の共有とを基礎とする個人的所有をつくりだすのである」（全集23巻b995頁）。歴史の発展は、つぎつぎにまったく新しい社会をつくりだしていくのではなく、一見古い社会関係に復帰するような様相をもとりながら、一歩一歩より高い段階へと進んでいくというのが、マルクスがヘーゲルから受け継いだ「否定の否定」の弁証法である。

そもそもザスーリチへの手紙は、ザスーリチがロシアに広く存在する共同体を基礎にして、資本主義をへることなく社会主義へ進むことができるかどうかについてマルクスの意見を求めてきたのに答えたものである。マルクスの回答は、次のとおりである。「ヨーロッパでただ一つ、ロシアの共同体は、いまなお広大な帝国の農村生活の支配的な形態である。土地の共同所有が、それに集団的領有の自然的基礎を提供しており、またそれの歴史的環境、すなわちそれが資本主義的生産と同時的に存在しているという事情が、大規模に組織された共同労働の物質的諸条件を、すっかりできあがったかたちでそれに提供している。それは、カウディナのくびき門を通ることなしに、資本主義制度によってつくりあげられた肯定的な諸成果をみずからのなかに組み入れることができるのである」(全集19巻408頁)

この意味するところは、資本主義とその成果がすでに西欧において存在しているという現実のもとでは、ロシアの農村共同体が土地をはじめ生産手段の私的所有を前提とする資本主義への苦難の道をへることなく、資本主義の成果をわがものとして共同体を基礎に高次の共同社会へ、すなわち共産主義社会へ進むことができるであろうということである。なお、この手紙には4通の下書きが遺っているが、実際に投函されたのは、『資本論』はイギリス経済を研究したもので、ロシアへの適用は想定外である、というごく簡略なものである。しかし、1882年にロシアで刊行された「『共産党宣言』ロシア語第二版序文」でも、手紙の下書きと同趣旨のことがのべられているから、マルクスの見解は変わっていないとみてよいであろう。要するに、西欧に資本主義がすでに存在しているという歴史的条件のもとでは、ロシアの共同体が、その成果を取り入れることによって、資本主義への道を進むことなしに歴史の新たな段階に到達することが可能だという意味であって、西欧中心主義からの決別などとは次元を異にする話である。

第4に、著者は晩年までのマルクスを「生産力主義」と切り捨てるが、それがいかに一面的な暴論かを、若きマルクスが経済学に本格的に取り組みだして書いた最初の論稿、1844年に書かれた「経済学・哲学手稿」のなかの「疎外された労働」をひきあいに見てみよう。そこでは、労働、人間がつくりだしたものが人間に対してよそよそしく、敵対的になり、さらに人間を支配するようになる、いわゆる人間疎外という角度から、私的所有、資本主義への批判を試みている。「労働者は、自然なしには、感性的外界なしには、何物をもつくりだすことは出来ない」「労働者が外界、感性的自然を彼の労働によって我がものにしていけばいくほど、それだけ彼は二重の面において生きる手段から遠ざかる。すなわち第一には、ますます感性的外界は彼の労働に属する対象、彼の労働の生きる手段ではなくなっていくということ、第二に、その感性的外界は直接的な意味での生きる手段、労働者の身体的生存のための手段ではますますなくなっていくということ、その両面においてである」「疎外された労働は人間から（1）自然を疎外し、（2）彼自身を、換言すれば彼自身の能動的な働き、彼の生活活動を疎外することによって、人間から類を疎外する」（全集40巻342〜346頁）

ヘーゲルが法哲学で、市民社会＝資本主義社会の矛盾が国家によって克服されると説いたのに対して、マルクスは市民社会が作り出すもの、貨幣や資本、あるいは生産物そのものが人間にたいし敵対し人間を支配するにいたると洞察する。そして、この人間疎外からの解放によって、人間が人間を取り戻すべきだと呼びかける。そこには人間の労働による自然への働きかけ、人間と自然との本質的関係を視野において、その関係をゆがめ、転倒させる社会のありかたへのまだ観念的ではあるが鋭い洞察と論及を見ることができる。それは、人間が作り出す自然の変異によって、すなわち後の自然と人間の「物質転換の亀裂」によって、人間が脅かされるという論理にもつながる。

マルクスは、この疎外論による社会批判にとどまることなく、疎外を生みだす根源である資本主義経済の仕組み、法則そのものの解明にとりくみ、やがて『資本論』に実らせるのだが、人間が生み出したものによって人間自身が支配されるという視点は、今日、環境問題にとりくむうえでも、的確な大局的観点を提供してくれると考えてよいのではなかろうか。この点でも、前期マルクスを生産力主義の「悪名高い史的唯物論」と切り捨てるのは、不当であろう。

二、極端な図式主義の生まれる所以はどこ？

問題は、マルクスを積極的に評価し、「脱成長」はともかくとして資本主義を批判し、資本主義を乗り越えるコミュニズムにこそ環境問題解決の望みを託す著者がなぜこのような図式主義に固執するのかということである。その秘密は、意外に単純な誤解と偏見にもとづくものといわなければならない。

本書に先立って刊行されている『人新世の「資本論」』で著者は次のように述べている。「社会主義は、搾取をなくそうとした。だが、資本主義で実現された物質的な潤沢さを自国の労働者階級のためにつかうような社会を志してきたのだ。そうやって実現される将来社会というのは、資本家がいないというだけで、あとはそれほど今の社会とは変わらない。実際ソ連の場合は、官僚が国営企業を管理しようとして、結果的には『国家資本主義』と呼ぶべき代物になってしまった」（本書351〜352頁）。また本書では次のようにも言う。「若い世代を中心とした環境運動のラディカル化は、『歴史の終わり』の『終わり』をもたらす。そしてこれこそ、ソ連崩壊後、『死んだ犬』のように扱われてきたマルクス主義にとって新たな歴史的状況を意味する。――しかしながら、いまのところそのような試みは成功していない。それどころか、ソ連の失敗の後にマルクスの遺産を再び引き合いに出すことには反発がある。マルクスの思想は、今日ではもはや受け入れることのできない生産力主義や自民族中心主義に囚われていると、繰り返し批判されてきたからだ」（本書9～10頁）。

ここからは、旧ソ連が社会主義の名のもとにおこなってきたことがマルクスの思想の実践であったとう世間一般に広がっている俗説を、著者が安易に容認し受け入れ、その俗説を前提に議論を出発させていることがはっきりと読み取れる。そして、この前提、すなわち、ソ連型社会主義＝マルクス、このドグマを受け入れるかぎり、従来のマルクスを捨て、それとは違ったあたらしいマルクスを打ち立てなければ、マルクスを救う道は開けないのである。ここに、真面目で熱心な学究であるこの筆者が、マルクスを前期と後記に振り分け、前者を切り捨て、後者をまったく別のものとして提示しようとする秘密があるのではなかろうか？

しかし、旧ソ連の実態がマルクスの思想とも理論ともまったく相容れないものであったことは、日本共産党が長年をかけて克明に明らかにし、社会主義の名を汚すソ連の実態を暴露し批判するとともに、マルクス本来の思想と理論にあらためて光を当ててきたのでる。人間の自由の実現こそ社会主義本来の目的であることも、議会制民主主義や代議制度など資本主義のもとで発展させられてきた制度やシステムを継承しさらに発展させることによって、働く人々が社会、経済の本当の主人公になる社会を実現することこそ、本来のコミュニズムであることなどである。それらは、本書の著者が、晩年に生まれ変わったマルクスの主張であるかのように描き出しているコミュニズム像と多く点で一致もするのである。また、理論面でも、たとえばスターリンの哲学で、著者も引用する弁証法の基本法則から、否定の否定の法則を脱落させ、それによってものごとの直線的ではなく螺旋的な発展という弁証法の核心となる発展観を平板な発展観に堕落させ、それがソ連の哲学界を支配してきたことにみるように、マルクスの理論は換骨奪胎させられ、平板で陳腐な思想に置き換えられても来たのである。自然と人間の物質代謝の亀裂などが無視されてきたのも決して偶然ではないのである。

もちろん、マルクスが歳を重ねるなかで視野を広げ、研究を深めていったその努力と到達点を尊重しそこから学ぶことは大事である。そこには、単に量的な広がりだけでなく、われわれがこれまで気づかなかった質的な転換もありうるだろう。ＭＥＧＡの研究をとおして、そういった可能性が追求されることは大いに好ましいことである。それだけに、安易な俗説に依拠して、マルクスを切り分け分解すべきではないことを、肝に銘じたい。

最後に、資本主義の矛盾が深まりそのもとで労働者とりわけ若者が苦難を強いられる事態が深刻化するもとで、アメリカの若者の6割が社会主義に賛成し、日本でも若者の間にそうした風潮が確実に広がっている。それだけに、資本主義を乗り超え、コミュニズムを実現するしか環境問題をはじめ現代社会が陥っている諸困難を打開する道はないと説く著者の主張が、多くの若者に歓迎されるのは喜ばしいことである。同時に、晩年以外のマルクスの思想と理論を唾棄すべきもののように切り捨てることは、著者の意図がどうあれ、結果的にはマルクスの貴重な思想的理論的遺産の宝庫の大部分に背をむけることを意味する。そしてわれわれにとってとくに許しがたいのは、著者が意図しているか否かにかかわらず、時代遅れとして投げ捨てるべき思想と理論にしがみついている潮流のなかには、日本共産党もふくまれることである。それだけに、われわれとしては放置できないし、マルクスを現代に生かしたいという著者の願いに照らしても残念というほかないのである。

あとがき

わたしは二〇一四年に現役を退いて約一〇年の間、地域で活動しながら気の向くままに読書にいそしみ、あるいは年来関心を抱いてきた課題にとりくんできた。そして、読書ノートを書くとともに、いくつかの論稿をもまとめてきた。もともと、その多くはどこかに発表しようというのではなく、自分の覚え書きのつもりであった。しかし、齢をかさねるにしたがって、自分が書いた文章や論稿をこのまま散逸せてしまうのも惜しいという心境になってきて、主なものを一冊にとめておくことにした。それが本書である。したがって、きわめて私的な動機によるものだが、せっかく一冊の書籍にした以上、なにかの役に立つことがあろうかと期待もしている。専門でもない問題にあれこれ口を出して、恥をさらすことにもなるのを危惧しながら、公刊に踏み切った次第である。執筆した時点から政治的状況の変化などもあるが、文章は書いた時点のままにした。誤認や間違いはすべて筆者の責任であることを肝に銘じて、筆をおく。最後に本書の装丁を引き受けてくれた娘の足立涼子と光陽出版社の皆さんへの謝意を記す。（二〇二四年三月二五日）

足立正恒（あだち　せいこう）

1938年生れ。日本共産党名誉役員。

「しんぶん赤旗」編集委員、論説委員会責任者、党学習・教育局次長、理論・政治誌『前衛』編集長、党学術・文化委員会責任者、中央委員を歴任。

著書『唯物論と弁証法』（新日本出版社）、『現代の反動思想と観念論』（同）、『エンゲルス　フォイエルバッハ論』（学習の友社）、『変革の思想と論理』（光陽出版社）、共著『変革の立場と傍観者の論理』（新日本出版社）他。

思想と歴史、文学の探索

2024年4月18日　第1刷発行

著　者　　足　立　正　恒
発行者　　明　石　康　徳
発行所　　光　陽　出　版　社
　　　　　〒162-0811　東京都新宿区築地町8番地
　　　　　Tel 03-3268-7899　Fax 03-3235-0710
印刷所　　株式会社光陽メディア

ISBN978-4-87662-645-8 C0036